기초부터 고급까지

파이썬 프로그래밍

박창렴 지음

기초부터 고급까지 파이썬 프로그래밍

발행 | 2024년 8월 6일

지은이 | 박창렴 / myanjini@gmail.com

펴낸곳 | 주식회사 부크크

펴낸이 | 한건희

출판사등록 | 2014년 7월 15일 (제2014-16호)

주소 | 서울특별시 금천구 가산디지털1로 119 SK트윈타워 A동 305호

대표전화 | 02)1670-8316

홈페이지 | www.bookk.co.kr

ISBN | 979-11-410-9980-0

차례

1장 파이썬 소개

Life is short, you need Python.

이 장에서는 파이썬이란 무엇인지, 어떤 용도로 사용되는지를 설명하고, 파이썬의 개발 배경과 주요 버전 변화에 대해 알아봅니다. 이어서, 파이썬이 다른 프로그래밍 언어와 구별되는 간결한 문법, 광범위한 라이브러리 지원, 다중 패러다임 지원, 인터프리터 언어로서의 특징, 플랫폼 독립성, 그리고 큰 커뮤니티와 풍부한 자료 등 주요 장점을 소개합니다. 마지막으로, 윈도우, macOS, 리눅스 등 다양한 운영 체제에서 파이썬을 설치하고 사용하는 방법에 대해 설명합니다.

파이썬이란?

파이썬(Python)은 1991년 네덜란드의 프로그래머인 귀도 반 로섬(Guido van Rossum)이 개발한 고급 프로그래밍 언어로, 인터프리터 방식의 객체 지향적 언어입니다.

파이썬(Python)이라는 이름의 유래는 이 언어의 창시자인 귀도 반 로섬(Guido van Rossum)의 개인적인 취향에서 비롯되었습니다. 귀도 반 로섬은 당시 BBC에서 방영된 유명한 코미디 프로그램인 "Monty Python's Flying Circus"의 팬이었으며, 그는 새로운 프로그래밍 언어를 개발할 때 이 프로그램의 이름을 따서 "Python"이라고 명명했습니다.

Monty Python's Flying Circus는 영국의 코미디 그룹 몬티 파이튼(Monty Python)에 의해 제작된 텔레비전 시리즈로, 1969년부터 1974년까지 방영되었습니다. 이 프로그램은 기발하고 독창적인 유머로 큰 인기를 끌었으며, 많은 이들에게 웃음을 주었습니다. 귀도 반 로섬은 이 프로그램의 유머러스하고 자유로운 정신을 자신의 프로그래밍 언어에도 반영하고 싶어 했습니다.

파이썬이라는 이름은 딱딱하고 기술적인 느낌보다는 친근하고 유머러스한 느낌을 주어, 프로그래밍 언어가 접근하기 어렵고 복잡하다는 인식을 완화하는 데 도움이 되었습니다. 이러한 명명은 파이썬의 철학에도 부합하며, 파이썬은 프로그래머들이 쉽게 배우고 사용할 수 있도록 설계되었습니다.

파이썬의 역사

파이썬 0.9.0 (1991년): 파이썬 0.9.0은 파이썬의 첫 번째 공개 버전으로, 귀도 반 로섬이 개발했습니다. 이 버전은 함수, 예외 처리, 문자열, 리스트, 딕셔너리 등 핵심 데이터 타입을 지원했습니다. 파이썬의 기본 문법과 구조가 이때 정립되었으며, 인터프리터 언어로서의 특성을 갖추었습니다.

파이썬 1.0 (1994년 1월): 파이썬 1.0은 모듈 시스템과 객체 지향 프로그래밍을 도입한 버전입니다. 예외 처리 시스템이 개선되었고, lambda, map(), filter(), reduce() 함수가 추가되었습니다. 이 버전은 파이썬 커뮤니티가 형성되는 데 중요한 역할을 했습니다.

파이썬 1.5 (1997년): 파이썬 1.5는 중요한 버그 수정과 함께 새로운 기능들이 추가되었습니다. 더 나은 예외 체계와 내장 함수가 개선되었으며, 파이썬의 안정성과 성능이 향상되었습니다. 이 버전은 파이썬이 점점 더 널리 사용되기 시작한 시기입니다.

파이썬 2.0 (2000년 10월): 파이썬 2.0은 리스트 컴프리헨션, 쓰레드 지원, 메모리 관리 향상, 가비지 컬렉션 도입 등 많은 새로운 기능을 포함했습니다. dict 객체의 정렬된 반환 기능이 추가되었고, 파이썬 언어의 성숙도를 한층 높였습니다. 이 버전은 파이썬 개발자 커뮤니티와 사용자 기반이 크게 확장된 시기입니다.

파이썬 2.2 (2001년): 파이썬 2.2는 새로운 스타일의 클래스와 제너레이터를 도입한 버전입니다. 이 버전에서는 __future__ 모듈을 통해 미래의 변경 사항을 미리 사용할 수 있는 기능이 추가되었습니다. 새로운 클래스 체계는 객체 지향 프로그래밍을 더욱 강화하였고, 제너레이터는 메모리 효율성을 높였습니다.

파이썬 2.7 (2010년): 파이썬 2.7은 파이썬 2.x 시리즈의 마지막 주요 버전으로, 파이썬 3.x로의 마이그레이션을 돕기 위해 여러 기능이 추가되었습니다. 여기에는 파이썬 3.x의 문법적 요소들을 일부 포함하여, 두 버전 간의 호환성을 높였습니다. 파이썬 2.7은 긴 시간 동안 지원되었으며, 많은 프로젝트에서 사용되었습니다.

파이썬 3.0 (2008년 12월): 파이썬 3.0은 파이썬 언어의 대대적인 개편을 포함한 버전으로, 이전 버전과의 하위 호환성을 포기했습니다. 주요 변경 사항으로는 문자열

처리의 통합, 정수 나눗셈의 변경, 유니코드 지원 강화 등이 있습니다. 이 버전은 코드의 일관성과 가독성을 높이는 데 중점을 두었습니다.

파이썬 3.4 (2014년 3월): 파이썬 3.4는 asyncio 모듈을 도입하여 비동기 프로그래밍을 지원했습니다. 또한, pathlib 모듈이 추가되어 파일 시스템 경로 작업을 더 쉽게 할 수 있게 되었습니다. 이는 파이썬의 기능성을 크게 확장한 버전입니다.

파이썬 3.6 (2016년 12월): 파이썬 3.6은 f-string 포맷팅을 도입하여 문자열 포맷팅을 더 간결하게 만들었습니다. 또한, 타입 힌팅이 개선되었고, async와 await 키워드가 정식으로 추가되었습니다. 이 버전은 파이썬의 현대적인 기능을 더 많이 도입한 중요한 업데이트입니다.

파이썬 3.7 (2018년 6월): 파이썬 3.7은 데이터 클래스(dataclass)를 도입하여 데이터 구조 정의를 더 쉽게 만들었습니다. 또한, 새로운 breakpoint() 함수가 추가되어 디버깅을 더 편리하게 하였고, 모듈 수준에서 __getattr__ 및 __dir__을 지원하였습니다.

파이썬 3.8 (2019년 10월): 파이썬 3.8은 위치 전용 매개변수(positional-only parameters), 명시적 공유 메모리 멀티프로세싱, := 연산자(Walrus Operator, 왈러스 연산자) 등의 기능을 도입했습니다. 이러한 새로운 기능들은 파이썬의 유연성을 더욱 강화했습니다.

파이썬 3.9 (2020년 10월): 파이썬 3.9는 타입 힌팅의 개선, zoneinfo 모듈 추가, 내장 제네릭 타입 등 많은 새로운 기능과 개선 사항을 포함했습니다. 또한, 파서(parser) 성능이 개선되어 더 빠른 실행 속도를 제공합니다.

파이썬 3.10 (2021년 10월): 파이썬 3.10은 패턴 매칭 기능을 도입하여 복잡한 데이터 구조의 처리와 조건문 작성을 더 간결하게 만들었습니다. 또한, 오류 메시지가 더 상세해졌고, 여러 성능 향상이 이루어졌습니다.

파이썬의 특징

간결하고 명확한 문법: 파이썬은 코드가 간결하고 읽기 쉬운 문법을 가지고 있습니다. 이는 코드 유지 보수와 협업을 용이하게 합니다.

광범위한 표준 라이브러리: 파이썬은 다양한 기능을 제공하는 표준 라이브러리를 포함하고 있어, 많은 작업을 추가적인 코드 작성 없이 쉽게 수행할 수 있습니다.

플랫폼 독립성: 파이썬은 운영 체제에 구애받지 않고 실행될 수 있습니다. 윈도우, 리눅스, 맥OS 등 다양한 환경에서 동일한 파이썬 코드를 사용할 수 있습니다.

인터프리터 언어: 파이썬은 인터프리터 방식으로 실행되므로, 코드 실행 중에 실시간으로 테스트하고 디버깅할 수 있으며, 이는 개발 속도를 향상시킵니다.

객체 지향 및 절차 지향 프로그래밍 지원: 파이썬은 객체 지향 프로그래밍과 절차 지향 프로그래밍을 모두 지원합니다. 이는 개발자에게 다양한 방법으로 문제를 해결할 수 있는 유연성을 제공합니다.

동적 타이핑: 파이썬은 동적 타이핑 언어로, 변수의 타입을 명시적으로 선언하지 않아도 되므로, 코드 작성의 편의성을 높입니다.

활발한 커뮤니티와 풍부한 자료: 파이썬은 전 세계적으로 많은 개발자들에 의해 사용되고 있으며, 활발한 커뮤니티가 존재합니다. 이를 통해 다양한 온라인 자료와 강좌, 포럼 등을 접하고, 문제를 공유하고 해결 방법을 찾을 수 있습니다.

파이썬 설치

운영체제별 파이썬 설치 방법

윈도우, 리눅스, 맥OS 각각의 운영체제 별 파이썬 설치 방법은 아래 문서에서 자세히 설명합니다.

https://myanjini.tistory.com/entry파이썬-설치

가상 환경 설정

파이썬 프로젝트는 종종 서로 다른 패키지 버전을 필요로 합니다. 동일한 시스템에 여러 프로젝트를 설치할 경우, 하나의 프로젝트에서 요구하는 패키지 버전이 다른 프로젝트에서 충돌을 일으킬 수 있습니다. 이러한 충돌을 방지하고 각 프로젝트의 독립성을 유지하기 위해 가상환경을 사용합니다.

가상 환경 생성

파이썬의 venv 모듈을 사용하면 쉽게 가상환경을 생성할 수 있습니다. 터미널 또는 명령 프롬프트를 열고, 프로젝트 디렉토리로 이동한 후 다음 명령을 입력합니다

```
python3 -m venv myenv
```

위 명령어는 현재 디렉토리에 myenv라는 이름의 가상 환경을 생성합니다.

가상 환경 활성화

가상 환경을 생성한 후에는 활성화해야 합니다. 운영체제 환경에 맞는 명령어를 사용해 가상 환경을 활성화할 수 있습니다.

Windows 환경

```
myenv\Scripts\activate
```

macOS/Linux

```
source myenv/bin/activate
```

가상 환경이 활성화되면 명령 프롬프트 앞에 (가상 환경 이름)이 표시됩니다.

패키지 목록 저장

가상 환경이 활성화된 상태에서 패키지를 설치하면 해당 가상 환경에만 패키지가 설치됩니다. 이렇게 하면 프로젝트 별로 필요한 패키지와 버전을 독립적으로 관리할 수 있습니다.

현재 가상 환경에 실치된 모든 패키지 목록과 버전을 requirements.txt 파일에 기록하려면 다음 명령어를 사용합니다.

```
pip freeze > requirements.txt
```

새로운 가상 환경에서 requirements.txt 파일을 사용하여 동일한 패키지를 설치하려면 다음 명령어를 사용합니다.

```
pip install -r requirements.txt
```

가상 환경 비활성화

가상 환경을 비활성화하려면 deactivate 명령을 사용합니다.

```
deactivate
```

Hello, World! 예제

1. 문서 편집기 프로그램 실행: 문서 편집기 프로그램(예: VSCode, Sublime Text, Atom, 메모장 등)을 실행합니다.

2. 코드 작성하기: 다음 코드를 입력합니다.

```
print("Hello, Python!")
```

3. 파일 저장하기: hello.py라는 이름으로 파일을 저장합니다.

4. 코드 실행하기: 명령 프롬프트를 열고, 파일이 저장된 디렉토리로 이동한 후 다음 명령어를 입력합니다.

```
python hello.py
```

5. 실행 결과 확인: 터미널에 Hello, Python!라는 메시지가 출력되는 것을 확인할 수 있습니다.

간단한 예제를 통해 파이썬의 기본 문법과 실행 방법을 실습해 보았습니다. 이어서 변수, 데이터 타입, 연산자, 제어문, 함수 등 더 복잡한 개념으로 학습을 확장해 보겠습니다.

2장 기본 문법

Beautiful is better than ugly.

이 장에서는 파이썬 프로그래밍에서 필수적으로 알아야 할 변수와 관련된 다양한 내용들을 다룹니다. 먼저 변수의 개념과 선언 및 초기화 방법을 살펴보고, 명명 규칙에 대해 알아봅니다. 이어서 지역 변수와 전역 변수의 차이점과 사용 방법을 설명합니다. 다양한 데이터 타입을 이해하고, 데이터 타입 간의 변환 방법을 학습하며, 파이썬에서 제공하는 다양한 연산자들을 소개합니다. 마지막으로 문자열과 리스트의 특징과 이를 효과적으로 조작하는 방법을 다루어, 파이썬 프로그래밍의 기초를 탄탄히 다질 수 있도록 합니다.

변수

변수(Variable)는 데이터를 저장하기 위한 이름이 붙여진 저장소를 의미합니다. 파이썬 변수는 몇 가지 주요한 특징을 가지고 있으며, 이러한 특징들은 프로그래밍 언어로써 파이썬의 유연성과 강력함을 잘 나타냅니다.

먼저 파이선 변수는 **동적 타이핑**(dynamic typing)을 지원합니다. 이는 변수를 선언할 때 데이터 타입을 명시적으로 지정할 필요가 없으며, 변수의 데이터 타입은 변수에 값을 할당할 때 자동으로 결정되는 것을 의미합니다.

```
x = 10
print(type(x))          # <class 'int'>
x = "Hello"
print(type(x))          # <class 'str'>
```

예를 들어, 변수 x에 처음에는 정수 값 10을 할당하고, 이후에는 문자열 값 "Hello"를 할당할 수 있습니다. 이처럼 파이썬 변수는 다양한 타입의 값을 동적으로 가질 수 있습니다.

파이썬은 **강력한 타입 검사**(strong typing)를 지원합니다. 이는 변수가 특정 타입을 가질 때, 그 타입이 자동으로 변환되지 않음을 의미합니다.

```
x = "123"
y = 456

# TypeError: can only concatenate str (not "int") to str
# print(x + y)

# TypeError: unsupported operand type(s) for +: 'int' and 'str'
# print(y + x)
```

```
# 578
print(int(x) + y)

# 123456
print(x + str(y))
```

예를 들어, 문자열 데이터 "123"을 정수형 데이터 456을 더하려고 하면 TypeError가 발생하므로, 문자열 데이터 "123"을 int() 함수를 이용해 명시적으로 정수형 데이터로 변환하거나, 정수형 데이터 456을 str() 함수를 이용해 명시적으로 문자열 데이터로 변환하여 사용해야 합니다. 이러한 특징은 코드의 명확성을 높여주고, 잠재적인 오류를 줄이는데 도움이 됩니다.

파이썬에서 모든 것은 **객체**(object)로, 변수도 예외가 아닙니다. 변수는 실제 값을 저장하는 것이 아니라, 객체를 참조하는 레퍼런스(reference) 입니다.

```
x = 10
print(type(10))      # <class 'int'>
print(type(x))       # <class 'int'>
```

예를 들어, 변수 x에 정수 10을 할당하면, x는 정수 10 객체를 참조하게 됩니다. 이는 파이썬의 객체 지향(object oriented) 특성을 잘 보여줍니다.

메모리 관리 측면에서, 파이썬은 **가비지 컬렉션**(garbage collection)을 통해 자동으로 메모리를 관리합니다. 더 이상 참조되지 않는 객체는 가비지 컬렉터에 의해 자동으로 메모리에서 해제됩니다.

```
a = [1, 2, 3]
b = a
```

```
# b가 여전히 [1, 2, 3]을 참조하고 있으므로 메모리가 해제되지 않음
del a
```

예를 들어, 리스트 a와 b가 동일한 객체를 참조하고 있을 때, a를 삭제하더라도 b가 여전히 그 객체를 참조하고 있다면, 그 객체는 메모리에서 해제되지 않습니다.

변수의 가변성(mutability)과 불변성(immutability)도 파이썬 변수의 중요한 특징 중 하나입니다. 리스트와 딕셔너리 같은 데이터 타입은 가변(mutable)입니다. 이는 해당 객체의 값을 변경할 수 있음을 의미합니다. 반면에, 문자열과 튜플 같은 데이터 타입은 불변(immutable)입니다. 이는 한 번 생성된 객체의 값을 변경할 수 없음을 의미합니다.

```
# 리스트는 가변 데이터 타입으로 객체의 값을 변경할 수 있음
x = [1, 2, 3]
print(x)        # [1, 2, 3]
x[0] = 10
print(x)        # [10, 2, 3]

# 문자열은 불변 데이터 타입으로 객체의 값을 변경할 수 없음
y = "hello"
# TypeError: 'str' object does not support item assignment
# y[0] = "H"
```

파이썬 변수는 선언된 위치에 따라 유효 범위(scope)가 달라집니다. 파이썬은 LEGB (Local, Enclosing, Global, Built-in) 규칙을 따릅니다. 이는 변수가 선언된 블록 내에서만 유효하다는 것을 의미합니다. 예를 들어, 함수 내부에서 선언된 변수는 함수 외부에서 접근할 수 없습니다.

```
x = 5           # 글로벌 변수

def func():
    x = 10      # 로컬 변수
    print(x)    # 10
```

```
func()
print(x)          # 5
```

마지막으로, 변수 할당 시 파이썬 변수는 객체를 가리키는 레퍼런스로 동작합니다. 동일한 객체를 여러 변수가 참조할 수 있으며, 한 변수가 객체를 수정하면, 그 객체를 참조하는 다른 변수에도 영향을 미칩니다.

```
a = [ 1, 2, 3 ]
b = a
b[0] = 10
a[2] = 30
print(a)          # [10, 2, 30]
print(b)          # [10, 2, 30]
```

변수 선언 및 초기화

파이썬에서는 변수를 선언하기 전에 별도로 선언 키워드를 사용할 필요가 없습니다. 변수를 선언하면서 값을 할당하면 됩니다.

```
x = 10            # 정수형 변수
y = 3.14          # 실수형 변수
name = "홍길동"     # 문자열 변수
is_active = True   # 불리언 변수
```

한 줄에 여러 변수를 동시에 선언하고 초기화할 수 있습니다.

```
x, y, z = 1, 2.5, "Hello"
```

x는 정수형 변수로 1로 초기화되었으며, y는 실수형 변수로 2.5로 초기화되었습니다. z는 문자열 변수로 "Hello"로 초기화되었습니다.

동일한 값을 여러 변수에 동시에 할당할 수도 있습니다. 아래의 변수 a, b, c는 모두 10으로 초기화되었습니다.

```
a = b = c = 10
```

파이썬에서는 변수를 초기화하지 않고 선언할 수 없습니다. 변수를 선언하려면 반드시 초기화해야 하며, 초기화 없이 변수를 선언하면 NameError가 발생합니다.

```
# 변수 선언과 초기화를 동시에 수행
x = None        # x를 None으로 초기화하여 선언
print(x)        # None
```

파이썬에서 변수의 타입을 확인하려면 type() 함수를 사용합니다. 변수의 타입은 할당된 값에 따라 자동으로 결정됩니다.

```
# 변수의 타입 확인
x = 42
print(type(x))  # <class 'int'>

# 변수의 타입 변경
x = 42.0
print(type(x))  # <class 'float'>
```

변수 명명 규칙(naming rule)

- 변수 이름은 문자(A-Z, a-z), 숫자(0-9), 밑줄(_)로 구성됩니다.
- 변수 이름은 숫자로 시작할 수 없습니다.

- 변수 이름은 대소문자를 구분합니다.
- 파이썬의 예약어(키워드)는 변수 이름으로 사용할 수 없습니다.

올바른 변수 이름 예

```
my_var = 10
_var2 = 20
name = "Alice"
age = 30
```

잘못된 변수 이름 예

```
2nd_var = 10      # 숫자로 시작하면 안 됩니다.
my-var = 20       # 하이픈(-)은 사용할 수 없습니다.
class = "Math"    # 예약어는 사용할 수 없습니다.
```

지역 변수와 전역 변수

파이썬에서는 변수가 선언된 위치에 따라 지역 변수(local variable)와 전역 변수(global variable)로 구분됩니다.

지역 변수는 함수 내부에서 선언된 변수로, 해당 함수 내에서만 접근할 수 있습니다.

```
def my_function():
    local_var = "I am local"
    print(local_var) # 함수 내에서 지역 변수 접근

my_function()            # I am local
# print(local_var)       # NameError: name 'local_var' is not defined
```

전역 변수는 함수 외부에서 선언된 변수로 프로그램 전체에서 접근할 수 있습니다.

```
global_var = "I am global"

def my_function():
    print(global_var) # 함수 내에서 전역 변수 접근

my_function()          # I am global
print(global_var)      # I am global
```

함수 내부에서 전역 변수를 수정하려면 global 키워드를 사용해야 합니다.

```
global_var = "I am global"

def my_function():
    global global_var
    global_var = "I am modified global"

my_function()
print(global_var)       # I am modified global
```

변수의 메모리 주소와 객체의 불변성

파이썬에서 변수의 메모리 주소를 확인하는 것은 변수의 실제 저장 위치를 이해하는 데 도움이 됩니다. 메모리 주소는 변수의 고유한 위치를 나타내며, 파이썬에서는 id() 함수를 사용하여 변수의 메모리 주소를 확인할 수 있습니다.

```
x = 42
print(id(x))  # 변수 x의 메모리 주소 출력
```

파이썬에서 정수, 문자열, 튜플과 같은 불변(immutable) 객체는 값이 변경되면 새로운 객체가 생성됩니다. 반면, 리스트, 딕셔너리와 같은 가변(mutable) 객체는 값이 변경되더라도 동일한 객체가 유지됩니다.

불변 객체의 메모리 주소: a에 새로운 값이 할당되면 새로운 객체가 생성되고, 따라서 id(a)는 다른 값을 반환합니다.

```
a = 42
print(id(a))  # a의 메모리 주소 출력

a = a + 1
print(id(a))  # 새로운 a의 메모리 주소 출력
```

가변 객체의 메모리 주소: 리스트는 가변 객체이므로, 값을 변경해도 동일한 객체가 유지되며, id(my_list)는 동일한 값을 반환합니다.

```
my_list = [1, 2, 3]
print(id(my_list))  # my_list의 메모리 주소 출력

my_list.append(4)
print(id(my_list))  # 동일한 my_list의 메모리 주소 출력
```

데이터 타입

데이터 타입(Data Type)은 변수에 저장되는 데이터의 종류를 나타내며, 각 데이터 타입은 특정 연산과 동작을 지원합니다.

구분	데이터 타입	설명
숫자형	정수형(int)	소수점이 없는 숫자
	실수형(float)	소수점을 포함하는 숫자
	복소수형(complext)	실수부와 허수부로 구성된 숫자

불리형	불리언(bool)	참(True) 또는 거짓(False)을 나타내는 데이터 타입
시퀀스형	문자열(str)	문자나 단어의 시퀀스
	리스트(list)	순서가 있는 가변 시퀀스 타입
	튜플(tuple)	순서가 있는 불변 시퀀스 타입
	범위(range)	특정 범위 내의 숫자를 생성
매핑형	딕셔너리(dict)	키-값 쌍으로 구성된 매핑 타입
집합형	집합(set)	중복을 허용하지 않는 순서가 없는 컬렉션 타입
	프로즌셋(frozenset)	집합과 유사하지만 불변 집합
NoneType		아무 것도 없음을 나타내는 특수한 데이터 타입

정수형(int)

정수형은 소수점이 없는 숫자를 나타냅니다. 파이썬은 정수의 크기에 제한이 없으며, 메모리가 허용하는 한 무한히 큰 숫자를 저장할 수 있습니다.

```
a = 10
b = -5
c = 123456789
```

실수형(float)

실수형은 소수점을 포함하는 숫자를 나타냅니다. 파이썬의 실수형은 IEEE 754 표준(부동소수점 표기 표준)을 따릅니다.

```
a = 3.14
b = -0.001
c = 2.5e3   # 2.5 * 10^3, 즉 2500.0
```

복소수형(complex)

복소수형은 실수부와 허수부로 구성된 숫자를 나타냅니다. 허수부는 j로 표기합니다.

```
a = 2 + 3j
b = 1 - 1j
```

불리언(bool)

불리언은 참(True) 또는 거짓(False)을 나타내는 데이터 타입입니다.

```
a = True
b = False
```

문자열(str)

문자열은 문자의 시퀀스를 나타내며, 작은 따옴표('') 또는 큰 따옴표("")로 묶어 표현합니다.

```
a = [1, 2, 3, 4, 5]
b = ["apple", "banana", "cherry"]
c = [1, "hello", 3.14, True]
```

리스트(list)

리스트는 순서가 있는 가변 시퀀스 타입으로, 대괄호([ ])를 사용하여 생성할 수 있으며, 쉼표로 구분된 여러 요소를 포함할 수 있습니다. 빈 리스트를 생성할 수도 있고, 초기 값을 포함하여 생성할 수도 있습니다.

```
empty_list = []
numbers = [1, 2, 3, 4, 5]
strings = ["apple", "banana", "cherry"]
mixed_list = [1, "hello", 3.14, True]
```

튜플(tuple)

튜플은 순서가 있는 불변 시퀀스 타입으로, 소괄호(())를 사용하여 생성할 수 있으며,
쉼표로 구분된 여러 요소를 포함할 수 있으며, 하나의 요소를 포함할 경우에는 쉼표를
사용하여 튜플임을 명시해야 합니다. 튜플은 리스트와 유사하지만, 한 번 생성된 후에는
수정할 수 없다는 점에서 차이점이 있습니다. 이는 데이터의 무결성을 유지해야 할 때
특히 유용합니다.

```
empty_tuple = ()
single_element_tuple = (1, )
multiple_elements_tuple = (1, 2, 3)
mixed_tuple = (1, "hello", 3.14, True)
```

범위(range)

range 객체는 불변 시퀀스 타입으로, 주어진 범위의 숫자들을 생성하는 데 사용됩니다.
range 객체는 리스트처럼 인덱싱, 슬라이싱 등이 가능하지만, 리스트와 달리 시작, 종료,
단계(step) 값만 저장하고, 실제 값은 필요할 때마다 생성하는 방식을 사용합니다. 이는 큰
범위의 숫자 시퀀스를 다룰 때 메모리 효율성을 높이는 데 큰 장점이 됩니다.

range 객체는 range 함수 호출을 통해 생성되며, range(stop), range(start, stop),
range(start, stop, step) 세 가지 형태를 사용할 수 있습니다.

```
a = range(10)        # 0부터 9까지의 숫자 생성
```

```
b = range(1, 10)      # 1부터 9까지의 숫자 생성
c = range(1, 10, 2)   # 1부터 9까지 2씩 증가하는 숫자 생성
```

딕셔너리(dict)

딕셔너리는 키(key)와 값(value) 쌍으로 구성된 매핑 타입으로, 중괄호({})를 사용하여 생성할 수 있으며, 각 키와 값은 콜론(:)으로 구분하고, 여러 개의 키-값 쌍은 쉼표(,)로 구분합니다. 또한 딕셔너리는 dict() 함수를 사용하여 생성할 수도 있습니다.

딕셔너리의 키는 불변 데이터 타입(일반적으로 문자열이나 숫자를 사용)이어야 하며, 딕셔너리의 값은 임의의 데이터 타입이 될 수 있습니다. 딕셔너리의 키를 사용하여 딕셔너리의 값에 접근할 수 있습니다.

```
empty_dict = {}
person1 = {"name": "Alice", "age": 25, "city": "New York"}
numbers = {1: "one", 2: "two", 3: "three"}
person2 = dict(name="Alice", age=25, city="New York")
```

집합(set)

집합은 중복을 허용하지 않는 순서가 없는 컬렉션 타입으로, 중괄호({})를 사용하거나 set() 함수를 사용하여 생성할 수 있습니다. 빈 집합을 생성할 때는 set() 함수를 사용해야 합니다.

집합은 수학에서의 집합과 유사한 연산을 지원하며, 효율적으로 중복을 제거하거나 교집합, 합집합, 차집합 등을 계산하는 데 유용합니다.

```
fruits = {"apple", "banana", "cherry", "apple", "cherry"}
numbers1 = {1, 2, 3, 8, 9, 1, 2, 3}
```

```
empty_set = set()
numbers2 = set([1, 2, 3, 8, 9, 1, 2, 3])
```

프로즌셋(frozenset)

프로즌셋은 집합과 유사하지만, 불변 집합으로, 한 번 생성된 후에는 수정할 수 없는
집합입니다. 프로즌셋은 일반 집합과 마찬가지로 고유한 요소들을 저장하며, 중복을
허용하지 않습니다. 프로즌셋은 데이터의 무결성을 유지해야 할 때 유용하며, 일반 집합과
동일한 집합 연산을 지원합니다.

프로즌셋은 frozenset() 함수를 사용하여 생성할 수 있습니다. frozenset() 함수는
이터러블(iterable) 객체를 인자로 받아 요소들을 포함하는 불변 집합을 만듭니다.

```
empty_frozenset = frozenset()
numbers = frozenset([1, 2, 3, 4, 5])
fruits = frozenset(["apple", "banana", "cherry"])
```

NoneType

NoneType은 단일 값인 None을 가지는 특별한 데이터 타입입니다. None은 변수에 값이
없음을 나타내기 위해 사용되며, 파이썬에서는 null 값을 나타내는 용도로 사용됩니다.
None은 객체이며, 모든 None 값은 동일한 객체를 참조합니다.

```
a = None
print(type(a))          # <class 'NoneType'>
```

데이터 타입 변환

파이썬에서 데이터 타입 변환은 암시적(implicit) 형 변환과 명시적(explicit) 형 변환으로 나눌 수 있습니다.

암시적 형 변환(Implicit Type Conversion)

암시적 형 변환은 프로그래머가 명시적으로 형 변환을 요청하지 않아도, 파이썬 인터프리터가 자동으로 데이터 타입을 변환하는 것을 의미합니다. 파이썬은 강력한 타입 검사를 수행하지만, 특정한 상황에서는 암시적 형변환을 허용하여 연산을 수행할 수 있게 합니다. 일반적으로 숫자 타입 간의 연산에서 암시적 변환이 발생합니다.

```python
# 정수와 실수의 연산에서 암시적 형 변환
int_num = 10
float_num = 2.5

# int_num이 float_num과 연산될 때 float로 변환됨
result = int_num + float_num

print(result)        # 12.5
print(type(result))  # <class 'float'>
```

정수형과 실수형을 더할 때, 파이썬은 정수형을 실수형으로 암시적 변환하여 연산을 수행하며 결과는 실수형(float)이 됩니다.

```python
# 불리언과 정수의 연산에서 암시적 형 변환
bool_val = True
int_val = 5

# bool_val이 int_val과 연산될 때 int로 변환됨
result = bool_val + int_val
```

```
print(result)        # 6
print(type(result))  # <class 'int'>
```

불리언형과 정수형을 더할 때, 파이썬은 불리언형을 정수형으로 암시적 변환하여 연산을
수행합니다. True는 1로 변환되고, 결과는 정수형(int)이 됩니다.

명시적 형 변환(Explicit Type Conversion)

명시적 형 변환은 프로그래머가 변환 함수(int( ), float( ), str( ) 등)를 사용하여 직접
데이터 타입을 변환하는 것을 말합니다.

int_num은 정수형(int)이고, 이를 float( ) 함수를 사용하여 실수형(float)으로
변환합니다.

```
# 정수형을 실수형으로 명시적 변환
int_num = 10
float_num = float(int_num)

print(float_num)        # 10.0
print(type(float_num))  # <class 'float'>
```

float_num은 실수형(float)이고, 이를 int( ) 함수를 사용하여 정수형(int)으로
변환합니다. 소수점 이하 부분은 버려집니다.

```
# 실수형을 정수형으로 명시적 변환
float_num = 3.14
int_num = int(float_num)

print(int_num)            # 3
```

```
print(type(int_num))    # <class 'int'>
```

str_num은 문자열(str)이고, 이를 int( ) 함수를 사용하여 정수형(int)으로 변환합니다.

```
# 문자열을 정수형으로 명시적 변환
str_num = "123"
int_num = int(str_num)

print(int_num)          # 123
print(type(int_num))    # <class 'int'>
```

int_num은 정수형(int)이고, 이를 str( ) 함수를 사용하여 문자열(str)로 변환합니다.

```
# 정수형을 문자열로 명시적 변환
int_num = 456
str_num = str(int_num)

print(str_num)          # "456"
print(type(str_num))    # <class 'str'>
```

str_num은 문자열(str)이고, 이를 float( ) 함수를 사용하여 실수형(float)으로 변환합니다.

```
# 문자열을 실수형으로 명시적 변환
str_num = "3.14"
float_num = float(str_num)
print(float_num)        # 3.14
print(type(float_num))  # <class 'float'>
```

연산자

파이썬에서 연산자는 변수와 값에 대한 연산을 수행하는 데 사용됩니다. 연산자는 다양한 종류가 있으며, 각 연산자는 특정 작업을 수행합니다. 여기서는 파이썬의 주요 연산자를 카테고리별로 설명하겠습니다.

산술 연산자 (Arithmetic Operators)

산술 연산자는 덧셈, 뺄셈, 곱셈, 나눗셈 등 기본적인 수학 연산을 수행하는 데 사용되며, 다양한 형태의 숫자 데이터 타입(int, float)에서 사용할 수 있습니다.

연산자	이름	설명
+	덧셈	두 피연산자를 더합니다.
-	뺄셈	첫 번째 피연산자에서 두 번째 피연산자를 뺍니다.
*	곱셈	두 피연산자를 곱합니다.
/	나눗셈	첫 번째 피연산자를 두 번째 피연산자로 나눕니다. 결과는 실수형 수입니다.
//	나눗셈 몫	첫 번째 피연산자를 두 번째 피연산자로 나눈 후, 몫 부분만 반환합니다. 결과는 정수형 입니다.
%	나머지	첫 번째 피연산자를 두 번째 피연산자로 나눈 후, 나머지만 반환합니다. 결과는 정수형 입니다.
**	거듭제곱	첫 번째 피연산자를 두 번째 피연산자로 거듭제곱합니다.
-	단항 음수	피연산자의 부호를 반대로 바꿉니다.

```
# 덧셈
a = 5
b = 3
addition = a + b
```

```python
print(f"{a} + {b} = {addition}")          # 5 + 3 = 8

# 뺄셈
subtraction = a - b
print(f"{a} - {b} = {subtraction}")        # 5 - 3 = 2

# 곱셈
multiplication = a * b
print(f"{a} * {b} = {multiplication}")     # 5 * 3 = 15

# 나눗셈
division = a / b
print(f"{a} / {b} = {division}")           # 5 / 3 = 1.666...

# 나눗셈 몫
floor_division = a // b
print(f"{a} // {b} = {floor_division}")    # 5 // 3 = 1

# 나머지
modulus = a % b
print(f"{a} % {b} = {modulus}")            # 5 % 3 = 2

# 거듭제곱
exponentiation = a ** b
print(f"{a} ** {b} = {exponentiation}")    # 5 ** 3 = 125

# 단항 음수 연산자
a = 7
print(f"-{a} = {-a}")                      # -5 = -5
```

비교 연산자 (Comparison Operators)

비교 연산자는 두 값이나 변수를 비교하고 그 결과를 불리언 값(True 또는 False)으로 반환합니다. 비교 연산자는 조건문과 반복문에서 중요한 역할을 하며, 프로그램의 논리를 제어하는 데 사용됩니다.

연산자	이름	설명
==	같음	두 피연산자의 값이 같다면 True를 반환하고, 그렇지 않으면 False를 반환합니다.
!=	같지 않음	두 피연산자의 값이 다르다면 True를 반환하고, 같다면 False를 반환합니다.
>	큼	첫 번째 값이 더 크다면 True를 반환하고, 그렇지 않으면 False를 반환합니다.
<	작음	첫 번째 값이 더 작다면 True를 반환하고, 그렇지 않으면 False를 반환합니다.
>=	크거나 같음	첫 번째 값이 더 크거나 같다면 True를 반환하고, 그렇지 않으면 False를 반환합니다.
<=	작거나 같음	첫 번째 값이 더 작거나 같다면 True를 반환하고, 그렇지 않으면 False를 반환합니다.
is	객체 동일성	두 객체가 같은 객체이면 True를 반환하고, 그렇지 않으면 False를 반환합니다.
is not	객체 동일성 부정	두 객체가 다른 객체이면 True를 반환하고, 그렇지 않으면 False를 반환합니다.

```python
a = 5
b = 3
c = 5
d = [1, 2, 3]
e = [1, 2, 3]
f = d

print(f"{a} == {c}: {a == c}")        # True
print(f"{a} != {b}: {a != b}")        # True
print(f"{a} > {b}: {a > b}")          # True
print(f"{a} < {b}: {a < b}")          # False
print(f"{a} >= {c}: {a >= c}")        # True
```

```
print(f"{a} <= {b}: {a <= b}")          # False

print(f"{d} is {e}: {d is e}")          # False
print(f"{d} is not {e}: {d is not e}")  # True
print(f"{d} is {f}: {d is f}")          # True
```

논리 연산자 (Logical Operators)

논리 연산자는 프로그램의 흐름 제어에 중요한 역할을 합니다. 이 연산자는 조건문을 결합하거나 부정할 때 사용되며, and, or, not 연산자가 있습니다.

연산자	이름	설명
and	논리곱(AND)	두 조건이 모두 참일 때 참
or	논리합(OR)	두 조건 중 하나라도 참일 때 참
not	논리부정(NOT)	조건이 참이면 거짓, 거짓이면 참

```
# 논리곱 (AND)
T = True
F = False
print(f"{T} and {F} = {T and F}")  # True and False = False

# 논리합 (OR)
print(f"{T} or {F} = {T or F}")    # True or False = True

# 논리 부정 (NOT)
print(f"not {T} = {not T}")        # not True = False
print(f"not {F} = {not F}")        # not False = True

# 복합 예제
x = 10
y = 20
z = 5
```

```
# AND와 OR를 결합한 예제
result = (x > z) and (y > x) or (z == 5)
print(f"({x} > {z}) and ({y} > {x}) or ({z} == 5) = {result}")
# (10 > 5) and (20 > 10) or (5 == 5) = True

# NOT을 사용한 예제
result = not ((x > z) and (y > x))
print(f"not (({x} > {z}) and ({y} > {x})) = {result}")
# not ((10 > 5) and (20 > 10)) = False
```

할당 연산자 (Assignment Operators)

할당 연산자는 변수에 값을 할당하거나, 변수의 값을 다른 값과 결합하여 다시 할당할 때 사용됩니다. 파이썬에서 사용할 수 있는 할당 연산자는 다음과 같습니다.

연산자	이름	설명
=	기본 할당	오른쪽 값을 왼쪽 변수에 할당합니다.
+=	덧셈 후 할당	변수의 현재 값에 오른쪽 피연산자의 값을 더한 후, 그 결과를 다시 변수에 할당합니다.
-=	뺄셈 후 할당	변수의 현재 값에서 오른쪽 피연산자의 값을 뺀 후, 그 결과를 다시 변수에 할당합니다.
*=	곱셈 후 할당	변수의 현재 값에 오른쪽 피연산자의 값을 곱한 후, 그 결과를 다시 변수에 할당합니다.
/=	나눗셈 후 할당	변수의 현재 값을 오른쪽 피연산자의 값으로 나눈 후, 그 결과를 다시 변수에 할당합니다. 결과는 부동 소수점 수입니다.
//=	몫 후 할당	변수의 현재 값을 오른쪽 피연산자의 값으로 정수 나누기를 수행한 후, 그 결과를 다시 변수에 할당합니다.
%=	나머지 후 할당	변수의 현재 값을 오른쪽 피연산자의 값으로 나눈 나머지를 구한 후, 그 결과를 다시 변수에 할당합니다.

**=	거듭제곱 후 할당	변수의 현재 값을 오른쪽 피연산자의 값으로 거듭제곱한 후, 그 결과를 다시 변수에 할당합니다.
&= |= ^= <<= >>=	비트 연산 후 할당	변수의 현재 값에 비트 연산을 수행한 후, 그 결과를 다시 변수에 할당합니다.

```python
# 기본 할당
a = 5
print(f"a = {a}")          # a = 5

# 덧셈 후 할당
a += 3
print(f"a += 3 -> {a}")  # a += 3 -> 8

# 뺄셈 후 할당
a -= 2
print(f"a -= 2 -> {a}")  # a -= 2 -> 6

# 곱셈 후 할당
a *= 4
print(f"a *= 4 -> {a}")    # a *= 4 -> 24

# 나눗셈 후 할당
a /= 2
print(f"a /= 2 -> {a}")    # a /= 2 -> 12.0

# 몫 후 할당
a //= 3
print(f"a //= 3 -> {a}")  # a //= 3 -> 4.0

# 나머지 후 할당
a %= 2
print(f"a %= 2 -> {a}")    # a %= 2 -> 0.0
```

```python
# 다시 할당
a = 3
# 거듭제곱 후 할당
a **= 3
print(f"a **= 3 -> {a}")    # a **= 3 -> 27

# 비트 연산 후 할당
a = 5                        # 5는 이진수로 0101
a &= 3                       # 3은 이진수로 0011
print(f"a &= 3 -> {a}")    # a &= 3 -> 1

a = 5
a |= 3
print(f"a |= 3 -> {a}")    # a |= 3 -> 7

a = 5
a ^= 3
print(f"a ^= 3 -> {a}")    # a ^= 3 -> 6

a = 5
a <<= 1
print(f"a <<= 1 -> {a}")    # a <<= 1 -> 10

a = 5
a >>= 1
print(f"a >>= 1 -> {a}")    # a >>= 1 -> 2
```

비트 연산자 (Bitwise Operators)

비트 연산자는 이진수 표현을 사용하여 비트 수준에서 작업을 수행합니다. 비트 연산자는 주로 하드웨어 프로그래밍, 암호화, 네트워크 프로토콜 구현 등에서 사용됩니다. 파이썬에서 제공하는 주요 비트 연산자는 다음과 같습니다.

연산자	이름	설명

&	비트 AND	두 피연산자의 대응되는 비트가 모두 1일 때, 그 결과 비트도 1이 되고, 그렇지 않으면 0이 됩니다.
|	비트 OR	두 피연산자의 대응되는 비트 중 하나라도 1이면, 그 결과 비트는 1이 되고, 둘 다 0이면 0이 됩니다.
^	비트 XOR	두 피연산자의 대응되는 비트가 서로 다를 때, 그 결과 비트는 1이 되고, 그렇지 않으면 0이 됩니다.
~	비트 NOT	피연산자의 모든 비트를 반전시킵니다. 즉, 1은 0으로, 0은 1로 바뀝니다. 파이썬에서는 비트 NOT 연산의 결과가 -(n+1)이 됩니다. (예: ~5 => -6)
<<	비트 왼쪽 시프트	피연산자의 비트를 지정된 수만큼 왼쪽으로 이동시키고, 오른쪽 빈자리는 0으로 채웁니다.
>>	비트 오른쪽 시프트	피연산자의 비트를 지정된 수만큼 오른쪽으로 이동시키고, 왼쪽 빈자리는 부호 비트로 채웁니다. (음수인 경우 1, 양수인 경우 0)

```python
# 변수 설정
a = 5 # 이진수: 101
b = 3 # 이진수: 011

# 비트 AND
print(f"{a} & {b} = {a & b}")     # 5 & 3 = 1

# 비트 OR
print(f"{a} | {b} = {a | b}")     # 5 | 3 = 7

# 비트 XOR
print(f"{a} ^ {b} = {a ^ b}")     # 5 ^ 3 = 6

# 비트 NOT
print(f"~{a} = {~a}")             # ~5 = -6

# 왼쪽 시프트
print(f"{a} << 1 = {a << 1}")     # 5 << 1 = 10
```

```
# 오른쪽 시프트
print(f"{a} >> 1 = {a >> 1}")      # 5 >> 1 = 2
```

문자열(String)

파이썬에서 문자열은 문자들의 집합으로, 주로 텍스트 데이터를 저장하고 조작하는 데 사용됩니다. 문자열은 작은 따옴표(') 또는 큰 따옴표(")로 둘러싸여 있으며, 여러 유용한 메서드와 연산자를 지원합니다.

문자열 생성

문자열은 작은 따옴표 또는 큰 따옴표를 사용하여 생성할 수 있습니다.

```
# 작은 따옴표를 사용한 문자열
str1 = 'Hello, Python!'

# 큰 따옴표를 사용한 문자열
str2 = "Hello, Python!"

print(str1)  # Hello, Python!
print(str2)  # Hello, Python!
```

여러 줄 문자열

파이썬에서는 삼중 따옴표(''' 또는 """)를 사용해 여러 줄에 걸친 문자열을 정의할 수 있습니다. 삼중 따옴표를 사용하면 문자열 내에 줄바꿈을 포함시킬 수 있으며, 따옴표나 이스케이프 시퀀스를 사용하지 않고도 문자열을 자유롭게 작성할 수 있습니다. 이는 주석, 문서화 문자열(docstring), 혹은 긴 문자열을 다룰 때 매우 유용합니다.

여러 줄 문자열 작성

```
multiline_str = """이것은 여러 줄로 이루어진 문자열입니다.
여러 줄을 포함할 수 있으며, 각 줄은 자동으로 줄바꿈이 됩니다.
또한, 따옴표나 이스케이프 문자를 사용하지 않아도 됩니다."""
print(multiline_str)
```

출력

```
이것은 여러 줄로 이루어진 문자열입니다.
여러 줄을 포함할 수 있으며, 각 줄은 자동으로 줄바꿈이 됩니다.
또한, 따옴표나 이스케이프 문자를 사용하지 않아도 됩니다.
```

문서화 문자열은 함수, 클래스, 모듈의 첫 번째 줄에 위치시키면 그 객체의 __doc__ 속성으로 접근할 수 있습니다. 이는 코드의 이해를 돕기 위해 매우 유용합니다.

함수의 문서화 문자열(docstring) 작성

```
def example_function():
    """
    이 함수는 예제를 위한 함수입니다.
    여기에는 함수에 대한 설명이 들어갈 수 있습니다.
    여러 줄로 설명을 추가할 수 있습니다.
    """
    print("함수가 실행되었습니다.")

# 도움말 호출
print(example_function.__doc__)
print(ExampleClass().example_method.__doc__)
```

출력

```
이 클래스는 예제 클래스로, 문서화 문자열을 포함합니다.
이 클래스에 대한 설명을 여러 줄에 걸쳐 작성할 수 있습니다.
```

이 메서드는 예제 메서드로, 메서드에 대한 설명을 포함합니다.

문자열 인덱싱과 슬라이싱

문자열 인덱싱은 문자열의 특정 위치에 있는 문자를 가져오는 방법입니다. 파이썬에서는 문자열의 각 문자에 인덱스를 부여하며, 인덱스는 0부터 시작합니다. 음수 인덱스를 사용하면 문자열의 끝에서부터 역순으로 문자를 접근할 수 있습니다.

```
str = "Hello, Python!"

print(str[0])    # H
print(str[4])    # o
print(str[-1])   # !
print(str[-7])   # P
```

문자열 슬라이싱은 문자열의 일부분을 추출하는 방법입니다. 슬라이싱은 [start:stop:step] 형식을 사용하며, start는 시작 인덱스, stop은 끝 인덱스 (포함되지 않음), step은 인덱스 증가 값을 의미합니다. step은 생략할 수 있으며, 기본값은 1입니다.

```
str = "Hello, Python!"

print(str[0:5])  # Hello
print(str[7:])   # Python! ⇒ 끝 인덱스를 생략하면 문자열 끝까지 포함
print(str[:5])   # Hello   ⇒ 시작 인덱스를 생략하면 0부터 시작
print(str[:])    # Hello, Python! ⇒ 전체 문자열을 복사

print(str[::2])  # Hlo yhn ⇒ 인덱스 0부터 시작하여 모든 두 번째 문자
print(str[1::2]) # el,Pto! ⇒ 인덱스 1부터 시작하여 모든 두 번째 문자
print(str[::-1]) # !nohtyP ,olleH ⇒ 문자열을 역순으로
```

문자열 연결과 반복

문자열 연결은 두 개 이상의 문자열을 하나의 문자열로 합치는 작업입니다. 파이썬에서는 주로 + 연산자와 join 메서드를 사용하여 문자열을 연결합니다.

+ 연산자를 사용하면 두 문자열을 쉽게 연결할 수 있습니다.

```
hello = "Hello"
world = "World"

print(hello + " " + world)  # Hello World
```

join 메서드는 여러 문자열을 특정 구분자와 함께 연결할 때 유용합니다.

```
words = ["Hello", "World", "with", "Python"]
result = " ".join(words)
print(result)                # Hello World with Python
```

문자열 반복은 문자열을 여러 번 반복하여 새로운 문자열을 만드는 작업입니다. 파이썬에서는 * 연산자를 사용하여 문자열을 원하는 횟수만큼 반복할 수 있습니다.

```
hello = "Hello"
print(hello * 3)              # HelloHelloHello
```

문자열 메서드

문자열은 다양한 내장 메서드를 통해 조작할 수 있습니다. 주요 메서드 몇 가지를 예제와 함께 설명하겠습니다.

len() 함수: 문자열의 길이를 반환합니다.

```
str = "Hello, Python!"
print(len(str))      # 14
```

str.lower(): 문자열을 소문자로 변환합니다.

```
str = "Hello, Python!"
print(str.lower())   # hello, python!
```

str.upper(): 문자열을 대문자로 변환합니다.

```
str = "Hello, Python!"
print(str.upper())   # HELLO, PYTHON!
```

str.strip(): 문자열의 양쪽 끝에서 공백을 제거합니다.

```
str = "  Hello, Python!   "
print(str7.strip()) # Hello, Python!
```

str.replace(old, new): 문자열 내의 특정 부분을 다른 문자열로 교체합니다.

```
str = "Hello, Python!"
print(str.replace("Python", "World"))  # Hello, World!
```

str.split(delimiter): 문자열을 지정한 구분자로 나누어 리스트로 반환합니다.

```
str = "Hello, Python!"
print(str.split(", "))  # ['Hello', 'Python!']
```

str.join(iterable): 문자열을 반복 가능한 객체의 요소 사이에 삽입하여 하나의 문자열로 만듭니다.

```
words = ["Hello", "World"]
print(" ".join(words))  # Hello World
```

str.count(substring): 문자열 내에서 특정 문자가 몇 번 나오는지 셀 수 있습니다.

```
str = "Hello, Python!"
count = str.count("o")
print(count)          # 2
```

str.startswith(prefix) / str.endswith(suffix): 문자열이 특정 접두사로 시작하거나 접미사로 끝나는지 확인할 수 있습니다.

```
str = "Hello, Python!"

print(str.startswith("Hello"))   # True
print(str.startswith("Python"))  # False

print(str.endswith("Python!"))   # True
print(str.endswith("Hello"))     # False
```

str.find(substring) / str.index(substring): 문자열 내에서 특정 문자열을 찾아 그 위치를 반환합니다. 일치하는 문자열이 없는 경우 find는 -1을, index는 예외를 발생시킵니다.

```
str = "Hello, Python!"
```

```
position = str.find("Python")
print(position)                 # 7
position = str.find("Java")
print(position)                 # -1

position = str.index("Python")
print(position)                 # 7
position = str.index("Java")    # ValueError 예외 발생
```

문자열 포함 여부 확인: 문자열이 다른 문자열을 포함하는지 확인할 수 있습니다.

```
str = "Hello, Python!"
if "Python" in str:
    print("Python이 문자열에 포함되어 있습니다.")

str = "Hello, Python!"
if "Java" not in str:
    print("Java가 문자열에 포함되어 있지 않습니다.")
```

문자열 포매팅

문자열 포매팅(String Formatting)은 문자열 내에 변수를 삽입하거나 특정 형식으로 값을
표시할 때 사용됩니다. 파이썬에서는 % 포매팅, str.format() 메서드, 그리고 f-strings
(포맷 문자열 리터럴)와 같은 다양한 방법을 제공합니다. 각 방법의 사용법과 특징을 살펴
보겠습니다.

% 포매팅

가장 전통적인 문자열 포매팅 방법으로, printf 스타일의 포매팅이라고도 합니다. 포맷
문자열 안에 변수를 삽입할 위치를 % 기호와 형식 지정자(format specifier)로 표시하고,
% 연산자 뒤에 변수나 값들을 튜플 형태로 지정합니다.

```python
name = "홍길동"
age = 24
weight = 92.76

# 문자 숫자 출력 형식 지정
# 이름 [홍길동]
# 나이 [24]
# 체중 [92.8]
profile = "이름 [%s]\n나이 [%d]\n체중 [%.1f]" % (name, age, weight)
print(profile)

# 너비 지정
# 이름 [      홍길동]
# 나이 [        24]
# 체중 [ 92.760000]
print("이름 [%10s]" % name)
print("나이 [%10d]" % age)
print("체중 [%10f]" % weight)

# 왼쪽 정렬
# 이름 [홍길동      ]
# 나이 [24        ]
# 체중 [92.760000 ]
print("이름 [%-10s]" % name)
print("나이 [%-10d]" % age)
print("체중 [%-10f]" % weight)

# 0으로 채우기
# 나이 [0000000024]
# 체중 [092.760000]
print("나이 [%010d]" % age)
print("체중 [%010f]" % weight)
```

str.format()

str.format() 메서드는 문자열을 포맷팅하는 매우 유연하고 강력한 방법을 제공합니다. 중괄호 {}를 사용하여 문자열 내에 자리 표시자를 정의하고, format() 메서드를 통해 해당 자리에 값을 삽입합니다. 자리 표시자에 다양한 형식 지정 옵션을 통해 원하는 형식으로 값을 출력할 수 있습니다.

중괄호는 자리 표시자로, format() 메서드의 인수는 중괄호의 순서에 맞춰 삽입됩니다.

```
name = "Python"
age = 30
msg = "Hello, {}! You are {} years old.".format(name, age)
print(msg) # Hello, Python! You are 30 years old.
```

자리 표시자 내에 인덱스를 지정하여 format() 메서드의 인수 순서를 명확히 할 수 있습니다.

```
name = "Python"
age = 30
msg = "Hello, {0}! You are {1} years old.".format(name, age)
print(msg)  # Hello, Python! You are 30 years old.
```

자리 표시자 내에 이름을 지정하여 format() 메서드의 키워드 인수를 사용하여 값을 전달할 수 있습니다.

```
name = "Python"
age = 30
msg = "Hello, {name}! You are {age} years old.".format(name=name,
age=age)
print(name)  # Hello, Python! You are 30 years old.
```

소수점 이하 자리수를 지정하여 부동 소수점 수를 포매팅할 수 있으며, 숫자를 특정 너비에 맞춰 0으로 채울 수 있습니다.

```python
formatted_string = "Float number: {:.2f}".format(3.14159)
print(formatted_string)  # Float number: 3.14

formatted_string = "Integer with leading zeros: {:05d}".format(42)
print(formatted_string)  # Integer with leading zeros: 00042
```

문자열을 특정 너비에 맞춰 정렬할 수 있습니다. 〈 는 왼쪽 정렬, 〉 는 오른쪽 정렬, ^ 는 가운데 정렬을 의미합니다.

```python
print("|{:^10}|{:>4}|{:<15}|".format("John", 30, "New York"))
# |   John   |  30|New York       |
```

정수형 데이터를 다양한 진법으로 표현할 수 있으며, 부동 소수점의 지수 표기법도 정의할 수 있습니다.

```python
# 정수의 다양한 표현
number = 255
formatted_binary = "Binary: {:b}".format(number)
formatted_octal = "Octal: {:o}".format(number)
formatted_hex_lower = "Hex (lowercase): {:x}".format(number)
formatted_hex_upper = "Hex (uppercase): {:X}".format(number)

print(formatted_binary)       # 'Binary: 11111111'
print(formatted_octal)        # 'Octal: 377'
print(formatted_hex_lower)    # 'Hex (lowercase): ff'
print(formatted_hex_upper)    # 'Hex (uppercase): FF'

# 부동 소수점 지수 표기법
number = 123456.789
```

```
formatted_scientific_lower = "Scientific (lowercase):
{:e}".format(number)
formatted_scientific_upper = "Scientific (uppercase):
{:E}".format(number)

print(formatted_scientific_lower)  # 'Scientific (lowercase):
1.234568e+05'
print(formatted_scientific_upper)  # 'Scientific (uppercase):
1.234568E+05'
```

f-strings (포맷 문자열 리터럴)

f-strings는 파이썬 3.6에서 도입되었으며, 문자열 앞에 f 또는 F를 붙이고, 중괄호 {} 안에
변수를 직접 삽입하여 사용하는 방법으로, 코드의 가독성을 높이고, 문자열 내에 표현식을
직접 삽입할 수 있어 매우 유용합니다.

f-strings를 사용하면 변수의 값을 중괄호 안에 직접 삽입할 수 있습니다.

```
name = "Python"
age = 30
print(f"Hello, {name}! You are {age} years old.")
# Hello, Python! You are 30 years old.
```

f-strings 내에서는 변수뿐만 아니라 표현식도 직접 평가할 수 있습니다.

```
age = 30
formatted_string = f"Next year, you will be {age + 1} years old."
print(formatted_string)  # Next year, you will be 31 years old.
```

부동 소수점 수를 포매팅할 때 소수점 이하 자리수를 지정할 수 있으며, 숫자를 특정
너비에 맞춰 0으로 채울 수 있습니다.

```
float_number = 3.14159

formatted_string = f"Float number: {float_number:.2f}"
print(formatted_string)   # Float number: 3.14

formatted_string = f"Integer with leading zeros: {42:05d}"
print(formatted_string)   # Integer with leading zeros: 00042
```

문자열을 특정 너비에 맞춰 정렬할 수도 있습니다. 〈는 왼쪽 정렬, 〉는 오른쪽 정렬, ^는
가운데 정렬을 의미합니다.

```
name = "Python"
formatted_string = f"Name: {name:<10}, Age: {age:>3}"
print(formatted_string)   # 'Name: Python    , Age:  30'
```

정수형 데이터를 다양한 진법으로 표현할 수 있으며, 부동 소수점의 지수 표기법도 정의할
수 있습니다.

```
# 정수의 다양한 표현
number = 255
formatted_binary = f"Binary: {number:b}"
formatted_octal = f"Octal: {number:o}"
formatted_hex_lower = f"Hex (lowercase): {number:x}"
formatted_hex_upper = f"Hex (uppercase): {number:X}"

print(formatted_binary)       # 'Binary: 11111111'
print(formatted_octal)        # 'Octal: 377'
print(formatted_hex_lower)    # 'Hex (lowercase): ff'
print(formatted_hex_upper)    # 'Hex (uppercase): FF'

# 부동 소수점 지수 표기법
number = 123456.789
```

```
formatted_scientific_lower = f"Scientific (lowercase): {number:e}"
formatted_scientific_upper = f"Scientific (uppercase): {number:E}"

print(formatted_scientific_lower)
print(formatted_scientific_upper)
# 'Scientific (lowercase): 1.234568e+05'
# 'Scientific (uppercase): 1.234568E+05'
```

리스트

파이썬에서 리스트(List)는 여러 항목을 하나의 변수에 저장할 수 있는 데이터 구조입니다. 리스트는 대괄호([ ])로 둘러싸여 있으며, 각 항목은 쉼표로 구분됩니다. 리스트는 다양한 데이터 타입을 포함할 수 있으며, 가변적(mutable)으로, 리스트의 항목을 변경, 추가, 삭제할 수 있습니다. 리스트 생성 방법과 다양한 기능에 대해 알아 보겠습니다.

기본 리스트 생성

가장 기본적인 리스트 생성 방법은 대괄호([ ])를 사용하는 것 입니다.

```
# 빈 리스트 생성
empty_list = [ ]

# 정수 리스트 생성
int_list = [1, 2, 3, 4, 5]

# 문자열 리스트 생성
str_list = ["apple", "banana", "cherry"]
```

```python
# 혼합된 데이터 타입 리스트 생성
mixed_list = [1, "apple", 3.14, True]
```

중첩 리스트 생성

리스트는 다른 리스트를 항목으로 가질 수 있으며, 이를 중첩 리스트(nested list)라고 합니다.

```python
nested_list = [
    [1, 2, 3],
    ["apple", "banana", "cherry"],
    [True, False, True]
]
```

list() 함수로 리스트 생성

list() 함수를 사용하여 다른 반복 가능한(iterable) 객체를 리스트로 변환할 수 있습니다.

```python
# 문자열을 리스트로 변환
str_to_list = list("hello")
print(str_to_list)  # ['h', 'e', 'l', 'l', 'o']

# 튜플을 리스트로 변환
tuple_to_list = list((1, 2, 3))
print(tuple_to_list)  # [1, 2, 3]

# 집합을 리스트로 변환
set_to_list = list({1, 2, 3})
print(set_to_list)  # [1, 2, 3]
```

리스트 얕은 복사

리스트의 얕은 복사는 리스트 자체의 복사본을 생성하지만, 리스트 내부의 각 항목에 대한 참조만을 복사합니다. 따라서 원본 리스트의 요소가 변경되면, 복사된 리스트에서도 그 변경이 반영됩니다.

가장 일반적인 얕은 복사 방법은 슬라이싱(slicing) 문법을 사용하는 것입니다.

```python
original_list = [1, 2, 3, 4, 5]
copied_list = original_list[:]
print("Original:", original_list)   # Original: [1, 2, 3, 4, 5]
print("Copied:", copied_list)       # Copied: [1, 2, 3, 4, 5]
```

original_list[:]는 원래 리스트 전체를 슬라이싱하여 새로운 리스트를 생성합니다.

리스트의 copy( ) 메서드를 사용하여 얕은 복사를 할 수도 있습니다.

```python
original_list = [1, 2, 3, 4, 5]
copied_list = original_list.copy()
print("Original:", original_list)   # Original: [1, 2, 3, 4, 5]
print("Copied:", copied_list)       # Copied: [1, 2, 3, 4, 5]
```

original_list.copy()는 원본 리스트의 얕은 복사본을 생성합니다.

list( ) 함수를 사용하여 얕은 복사를 수행할 수도 있습니다.

```python
original_list = [1, 2, 3, 4, 5]
copied_list = list(original_list)
print("Original:", original_list)   # Original: [1, 2, 3, 4, 5]
print("Copied:", copied_list)       # Copied: [1, 2, 3, 4, 5]
```

list(original_list)는 원본 리스트를 복사하여 새로운 리스트를 생성합니다.

얕은 복사는 리스트의 항목이 변경되지 않는 경우에는 잘 작동합니다. 하지만 리스트 내에 중첩된 리스트나 객체가 있는 경우, 얕은 복사는 이들을 참조로만 복사하기 때문에 원본 리스트나 복사된 리스트 중 하나에서 중첩된 객체를 수정하면 다른 리스트에서도 그 수정이 반영됩니다.

```python
original_list = [[1, 2, 3], [4, 5, 6]]
copied_list = original_list[:]

# 복사된 리스트를 수정
copied_list[0][0] = 99

print("원본:", original_list)   # 원본: [[99, 2, 3], [4, 5, 6]]
print("복사:", copied_list)     # 복사: [[99, 2, 3], [4, 5, 6]]
```

copied_list[0][0]을 수정하면 original_list[0][0]도 변경됩니다. 이는 original_list와 copied_list가 동일한 중첩 리스트를 참조하기 때문입니다.

리스트 깊은 복사

리스트의 깊은 복사는 리스트와 그 안에 포함된 모든 객체를 재귀적으로 복사하여 원본 리스트와 복사된 리스트가 완전히 독립된 객체를 참조하도록 만드는 방법입니다. 깊은 복사를 통해 중첩된 리스트나 객체를 포함한 복잡한 구조의 리스트를 안전하게 복사할 수 있습니다.

깊은 복사는 리스트가 다른 리스트나 객체를 포함하고 있을 때 유용합니다. 얕은 복사는 리스트 자체만 복사하고 내부 객체는 참조를 유지하기 때문에, 원본 리스트나 복사된 리스트 중 하나에서 내부 객체를 수정하면 다른 리스트에서도 그 변경이 반영됩니다. 깊은 복사는 이를 방지합니다.

파이썬에서는 copy 모듈의 deepcopy() 함수를 사용하여 깊은 복사를 수행할 수 있습니다. copy 모듈의 deepcopy() 함수는 객체의 모든 계층 구조를 재귀적으로 복사합니다.

```python
import copy

# 원본 리스트 생성
original_list = [[1, 2, 3], [4, 5, 6], [7, 8, 9]]

# 깊은 복사 수행
deep_copied_list = copy.deepcopy(original_list)

# 깊은 복사된 리스트를 수정
deep_copied_list[0][0] = 99

# 원본 리스트와 깊은 복사된 리스트 출력
print("원본:", original_list)
print("복사:", deep_copied_list)

# 원본: [[1, 2, 3], [4, 5, 6], [7, 8, 9]]
# 복사: [[99, 2, 3], [4, 5, 6], [7, 8, 9]]
```

copy.deepcopy(original_list)는 original_list의 모든 계층 구조를 복사하여 deep_copied_list에 저장하며, deep_copied_list를 수정해도 original_list는 영향을 받지 않습니다.

리스트 항목 접근 및 수정

리스트 항목에 접근하려면 인덱스를 사용합니다. 인덱스는 0부터 시작하며, 음수 인덱스를 사용하면 리스트의 끝에서부터 접근할 수 있습니다.

```
fruits = ["apple", "banana", "cherry"]
print(fruits[0])   # apple
print(fruits[-1])  # cherry
```

리스트의 항목을 수정하려면 인덱스를 사용하여 새로운 값을 할당합니다.

```
fruits = ["apple", "banana", "cherry"]
fruits[1] = "blueberry"
print(fruits)  # ['apple', 'blueberry', 'cherry']
```

리스트 항목 추가

리스트의 끝에 항목을 추가하거나, 특정 위치에 항목을 삽입할 수 있습니다.

append(x) : 리스트의 끝에 항목을 추가합니다.

```
fruits = ["apple", "banana", "cherry"]
fruits.append("orange")
print(fruits)  # ['apple', 'banana', 'cherry', 'orange']
```

insert(i, x) : 지정한 위치 i에 항목 x를 삽입합니다.

```
fruits = ["apple", "banana", "cherry"]
fruits.insert(1, "blueberry")
print(fruits)  # ['apple', 'blueberry', 'banana', 'cherry']
```

리스트 항목 제거

리스트에서 항목을 제거하기 위해 여러 가지 방법을 제공합니다.

remove() 메서드는 리스트에서 첫 번째로 일치하는 항목을 제거합니다. 항목이 존재하지 않으면 ValueError가 발생합니다.

```python
fruits = ["apple", "banana", "cherry", "banana"]

# 첫 번째 'banana' 제거
fruits.remove("banana")
print(fruits)  # ['apple', 'cherry', 'banana']
```

pop() 메서드는 지정한 인덱스의 항목을 제거하고, 그 항목의 값을 반환합니다. 인덱스를 지정하지 않으면 리스트의 마지막 항목을 제거합니다.

```python
fruits = ["apple", "banana", "cherry"]

# 두 번째 항목 제거
popped_item = fruits.pop(1)
print(popped_item)  # banana
print(fruits)       # ['apple', 'cherry']

# 마지막 항목 제거
popped_item = fruits.pop()
print(popped_item)  # cherry
print(fruits)       # ['apple']
```

슬라이싱을 사용하여 특정 범위의 항목을 제거할 수 있습니다.

```python
fruits = ["apple", "banana", "cherry", "durian"]
fruits[1:3] = []    # 두 번째부터 세 번째 항목 제거
print(fruits)       # ['apple', 'durian']
```

del 키워드를 사용하여 지정한 인덱스나 슬라이스 범위의 항목을 제거할 수 있습니다.

```
fruits = ["apple", "banana", "cherry", "durian"]
del fruits[1]
print(fruits)          # ['apple', 'cherry', 'durian']

fruits = ["apple", "banana", "cherry", "durian"]
del fruits[1:3]
print(fruits)          # ['apple', 'durian']
```

리스트 슬라이싱

리스트 슬라이싱은 파이썬에서 리스트의 특정 부분을 추출하는 방법입니다. 슬라이싱을 사용하면 리스트의 일부 요소들을 쉽게 가져올 수 있으며, 이를 통해 리스트를 다양한 방식으로 조작할 수 있습니다.

슬라이싱은 다음과 같은 형식을 따릅니다.

```
list [start:stop:step]
```

- start: 슬라이싱을 시작할 인덱스로 생략하면 0부터 시작합니다.
- stop: 슬라이싱을 끝낼 인덱스로 해당 인덱스는 포함되지 않습니다.
- step: 항목을 선택하는 간격을 나타내며, 생략하면 기본값은 1입니다.

기본 슬라이싱

```
fruits = ["apple", "banana", "cherry", "durian", "elderberry"]

# 첫 두 항목
print(fruits[:2])  # ['apple', 'banana']

# 세 번째부터 끝까지
print(fruits[2:])  # ['cherry', 'durian', 'elderberry']
```

```python
# 네 번째 항목까지
print(fruits[:4])  # ['apple', 'banana', 'cherry', 'durian']

# 두 번째부터 네 번째 항목까지
print(fruits[1:4]) # ['banana', 'cherry', 'durian']

# 모든 항목
print(fruits[:])   # ['apple', 'banana', 'cherry', 'durian', 'elderberry']
```

간격을 지정해서 슬라이싱

```python
print(fruits[::2])   # ['apple', 'cherry', 'elderberry']
print(fruits[1::2])  # ['banana', 'durian']
```

스텝을 지정하면 시작 인덱스부터 끝 인덱스까지 스텝 값 만큼 건너뛰며 항목을 선택합니다.

음수 인덱스와 역순 슬라이싱

```python
# 리스트의 마지막 세 항목
print(fruits[-3:])  # ['cherry', 'durian', 'elderberry']

# 리스트의 처음부터 마지막에서 두 번째 항목까지
print(fruits[:-2])  # ['apple', 'banana', 'cherry']

# 리스트의 역순
print(fruits[::-1]) # ['elderberry', 'durian', 'cherry', 'banana', 'apple']
```

리스트 항목의 존재 여부 확인

리스트에 특정 항목이 존재하는지 확인하려면 in 연산자와 not in 연산자를 사용합니다.

in 연산자는 리스트에 특정 항목이 존재하면 True를 반환하고, 그렇지 않으면 False를 반환합니다.

```
fruits = ["apple", "banana", "cherry"]

# 'banana'가 리스트에 있는지 확인
if "banana" in fruits:
    print("banana is in the list")  # banana is in the list

# 'orange'가 리스트에 있는지 확인
if "orange" in fruits:
    print("orange is in the list")
else:
    print("orange is not in the list")  # orange is not in the list
```

not in 연산자는 리스트에 특정 항목이 존재하지 않으면 True를 반환하고, 그렇지 않으면 False를 반환합니다.

```
# 'orange'가 리스트에 없는지 확인
if "orange" not in fruits:
    print("orange is not in the list")  # orange is not in the list

# 'apple'이 리스트에 없는지 확인
if "apple" not in fruits:
    print("apple is not in the list")
else:
    print("apple is in the list")  # apple is in the list
```

기타 리스트 메서드

리스트는 다양한 내장 메서드를 제공합니다. 주요 메서드 몇 가지를 예제와 함께 설명합니다.

remove(x): 첫 번째로 나오는 항목 x를 리스트에서 제거합니다.

```
fruits = ["apple", "banana", "cherry", "banana"]
fruits.remove("banana")
print(fruits)  # ['apple', 'cherry', 'banana']
```

pop([i]): 지정한 위치 i의 항목을 제거하고 반환합니다. 인덱스를 지정하지 않으면 마지막 항목을 제거하고 반환합니다.

```
fruits = ["apple", "banana", "cherry"]
popped_item = fruits.pop(1)
print(popped_item)  # banana
print(fruits)        # ['apple', 'cherry']
```

index(x): 첫 번째로 나오는 항목 x의 인덱스를 반환합니다.

```
fruits = ["apple", "banana", "cherry"]
index = fruits.index("cherry")
print(index)  # 2
```

count(x): 항목 x가 리스트에 몇 번 나오는지 세어 반환합니다.

```
fruits = ["apple", "banana", "cherry", "banana"]
count = fruits.count("banana")
print(count)  # 2
```

sort(): 리스트를 정렬합니다.

```
fruits = ["cherry", "banana", "apple"]
fruits.sort()
```

```
print(fruits)  # ['apple', 'banana', 'cherry']
```

reverse(): 리스트의 항목 순서를 반대로 뒤집습니다.

```
fruits = ["apple", "banana", "cherry"]
fruits.reverse()
print(fruits)  # ['cherry', 'banana', 'apple']
```

clear(): 리스트의 모든 항목을 제거합니다.

```
fruits = ["apple", "banana", "cherry"]
fruits.clear()
print(fruits)  # []
```

실습

실습 1. 중복 문자 제거

사용자가 입력한 문자열에서 중복된 문자를 제거하고 반환하는 remove_duplicate_chars
함수를 작성해 보세요.

```
def remove_duplicate_chars(s):
    # TODO

str = input('문자열을 입력하세요 : ')
rdc = remove_duplicate_chars(str)

print(f'원문: [{str}] >>> {len(str)}글자')
```

```
print(f'중복제거: [{rdc}] >>> {len(rdc)}글자')
```

실행 예

```
문자열을 입력하세요 : Welcome to Python World !!!
원문: [Welcome to Python World !!!] >>> 27글자
중복제거: [ rdtlnmy!oWPhce] >>> 15글자
```

풀이

https://myanjini.tistory.com/entry/실습-중복-문자-제거

실습 2. 두 개의 리스트에서 공통 요소 찾기

두 개의 리스트에서 같은 값을 가지는 요소만 추출해서 리스트로 반환하는
common_elements 함수를 작성해 보세요.

```
def common_elements(lst1, lst2):
    # TODO

list1 = [1, 2, 3, 4, 5, 6]
list2 = [4, 5, 6, 7, 8, 9]

common = common_elements(list1, list2)
print(common)        # [4, 5, 6]
```

풀이

https://myanjini.tistory.com/entry/실습-두-개의-리스트에서-공통-요소-찾기

실습 3. 중복 제거 후 정렬

학생 명단이 주어졌을 때, 중복된 이름을 제거하고 알파벳 순으로 정렬해서 반환하는 unique_sorted_students 함수를 작성해 보세요.

```
def unique_sorted_students(students):
    # TODO

students_list = ["John", "Jane", "Charles", "John", "Alice", "Bob",
"Alice"]
uss = unique_sorted_students(students_list)
print(uss)        # ['Alice', 'Bob', 'Charles', 'Jane', 'John']
```

풀이

https://myanjini.tistory.com/entry/실습-중복-제거-후-정렬

3장 제어문

Explicit is better than implicit.

제어문은 프로그램의 흐름을 제어하고 논리적인 순서에 따라 코드가 실행되도록 하는 데 사용됩니다. 제어문을 통해 프로그램은 조건에 따라 다른 코드 블록을 실행하거나 반복 작업을 수행할 수 있습니다. 주요 제어문에는 조건문(if, elif, else), 반복문(for, while), 그리고 제어 흐름을 변경하는 다양한 문법이 있습니다. 각각의 제어문에 대해 알아보도록 하겠습니다.

조건문(Conditional Statements)

조건문은 프로그램의 흐름을 제어하는 중요한 도구로 특정 조건을 평가하고, 그 조건에 따라 코드의 실행 흐름을 제어하는 데 사용됩니다. 기본적으로 if 문을 사용하며, 추가적인 조건을 검사하기 위해 elif 문, 모든 조건이 거짓일 때 실행할 코드를 정의하기 위해 else 문을 사용합니다.

if 문

가장 기본적인 조건문으로, 조건이 참(True)일 때 코드를 실행합니다.

```
age = 18

if age >= 18:
    print("Your are an adult.")
```

elif 문

앞선 if 문 또는 elif 문의 조건이 거짓일 때 새로운 조건을 검사합니다.

```
age = 15

if age >= 18:
    print("You are an adult.")
elif age >= 13:
    print("You are a teenager.")
```

else 문

모든 if 문과 elif 문의 조건이 거짓일 때 실행됩니다.

```
age = 10

if age >= 18:
    print("You are an adult.")
elif age >= 13:
    print("You are a teenager.")
else:
    print("You are a child.")
```

중첩 조건문

조건문 안에 또 다른 조건문이 들어가는 형태로, 여러 조건을 복합적으로 검사하여 특정 조건을 만족할 때만 특정 코드를 실행하도록 할 수 있습니다.

```
age = 25
is_employed = True

if age > 18:
    if is_employed:
        print("You are an employed adult.")
    else:
        print("You are an unemployed adult.")
else:
    print("You are not an adult.")
```

위 코드는 나이가 18세 이상인 경우를 먼저 확인한 다음, 고용 상태를 확인하여 적절한 메시지를 출력합니다.

조건부 표현식 (삼항 연산자)

조건부 표현식(Conditional Expression)은 삼항 연산자(Ternary Operator)라고도 불리며, 짧고 간결한 방법으로 조건문을 작성할 수 있게 해줍니다. 삼항 연산자는 한 줄의 코드로 조건에 따라 다른 값을 반환할 수 있습니다.

조건부 표현식은 condition이 참일 경우 value_if_true를 반환하고, 거짓일 경우 value_if_false를 반환합니다.

```
value_if_true if condition else value_if_false
```

아래 코드에서 age가 18 이상인 경우 "Adult (성인)"를, 그렇지 않은 경우 "Minor (미성년자)"를 status 변수에 할당합니다.

```
age = 18
status = "Adult" if age >= 18 else "Minor"
print(status)  # Output: Adult
```

비교 연산자

비교 연산자는 두 값을 비교하여 그 결과를 불리언 값(True 또는 False)으로 반환합니다. 비교 연산자는 조건문, 반복문, 함수 등에서 조건을 평가하는 데 주로 사용됩니다.

- == : 등호. 두 값이 같은지 비교
- != : 부등호. 두 값이 다른지 비교
- > : 크다. 왼쪽 값이 오른쪽 값보다 큰지 비교
- < : 작다. 왼쪽 값이 오른쪽 값보다 작은지 비교
- >= : 크거나 같다. 왼쪽 값이 오른쪽 값보다 크거나 같은지 비교
- <= : 작거나 같다. 왼쪽 값이 오른쪽 값보다 작거나 같은지 비교

```
x = 10
y = 20

if x == y:
    print("x is equal to y")
elif x != y:
    print("x is not equal to y")
if x < y:
    print("x is less than y")
if x > y:
    print("x is greater than y")
if x <= y:
    print("x is less than or equal to y")
if x >= y:
    print("x is greater than or equal to y")
```

논리 연산자

논리 연산자는 하나 이상의 조건을 결합하여 참(True) 또는 거짓(False)의 결과를 얻을 수 있게 해줍니다. 주요 논리 연산자는 and, or, not이 있으며, 조건문에서 조건을 결합하거나 부정할 때 자주 사용됩니다.

- and : 모든 조건이 참인 경우에만 참을 반환
- or : 하나 이상의 조건이 참이면 참을 반환
- not : 조건의 참/거짓 값을 반대로 반환

```
x = 10
y = 20
z = 15

# and 연산자
```

```
if x < y and y > z:
    print("x is less than y and y is greater than z")

# or 연산자
if x < y or y < z:
    print("x is less than y or y is less than z")

# not 연산자
if not x > y:
    print("x is not greater than y")
```

멤버십 연산자

멤버십 연산자(Membership Operator)는 특정 값이 시퀀스(리스트, 튜플, 문자열 등)나 컬렉션(집합, 딕셔너리 등)에 포함되어 있는지 여부를 확인하는 데 사용됩니다.

- in : 특정 값이 시퀀스나 컬렉션에 포함되어 있는 경우 참을 반환
- not in : 특정 값이 시퀀스나 컬렉션에 포함되어 있지 않는 경우 참을 반환

```
# 리스트에서 값 확인
fruits = ["apple", "banana", "cherry"]

if "banana" in fruits:
    print("banana is in the list")

if "orange" not in fruits:
    print("orange is not in the list")

# 문자열에서 값 확인
message = "Hello, world!"
print("Hello" in message)
print("hello" in message)
```

```
# 튜플에서 값 확인
numbers = (1, 2, 3, 4, 5)
print(3 in numbers)
print(6 in numbers)

# 딕셔너리에서 키 확인
person = {"name": "Alice", "age": 25}
print("name" in person)
print("gender" in person)
```

반복문(Loop Statements)

파이썬의 반복문은 특정 코드 블록을 여러 번 실행할 수 있도록 하는 제어 구조입니다. 주로 for 문과 while 문이 사용되며, 반복문을 사용하면 리스트, 튜플, 문자열 등의 시퀀스나 범위의 항목을 순회할 수 있습니다.

for 문

for 문은 시퀀스(리스트, 튜플, 문자열 등)나 다른 반복 가능한(iterable) 객체를 순회(iterate)하면서 특정 코드를 반복 실행하는 데 사용됩니다.

```
for item in iterable:
    # 실행할 코드
```

item은 반복 가능한 객체(iterable)의 각 항목을 가리키며, iterable은 리스트, 튜플, 문자열, 범위(range) 객체 등 반복 가능한 객체가 됩니다.

리스트 순회

```
fruits = ["apple", "banana", "cherry"]

for fruit in fruits:
    print(fruit)
```

리스트 fruits의 각 요소를 fruit 변수에 할당하고, 이를 출력합니다.

문자열 순회

```
word = "hello"

for letter in word:
    print(letter)
```

문자열 word의 각 문자를 순회하며 letter 변수에 할당하고, 이를 출력합니다.

range 함수

range 함수는 지정된 범위의 숫자를 생성하는 함수로, for 문과 함께 자주 사용됩니다.

```
for i in range(5):
    print(i)
```

range(5)는 0부터 4까지의 숫자를 생성하며, 변수 i에 할당하고, 이를 출력합니다.

while 문

while 문은 조건이 참(True)인 동안 코드 블록을 반복 실행합니다.

```
while condition:
    # 실행할 코드
```

condition이 참(True)일 때 코드 블록을 반복 실행하고, condition이 거짓(False)이 되면
반복문을 종료합니다.

```
count = 0

while count < 5:
    print(count)
    count += 1
```

count가 5보다 작은 동안 count를 출력하고, count를 1씩 증가시킵니다.

중첩 반복문

중첩 반복문(Nested Loop)은 하나의 반복문 내부에 또 다른 반복문을 사용하는
구조입니다. 중첩 반복문은 다차원 배열을 처리하거나 복잡한 반복 작업을 수행할 때
유용하며, 파이썬에서는 for 문과 while 문을 중첩하여 사용할 수 있습니다.

```
for i in range(1, 10):
    for j in range(1, 10):
        print(f"{i} * {j} = {i * j}")
    print()
```

위 코드는 중첩 반복문을 이용해 구구단을 출력하는 예제입니다.

실습: 구구단 출력

중첩 반복문을 이용해 아래와 같은 형태로 구구단이 출력되도록 코드를 작성해 보세요.

```
2 * 1 =  2    3 * 1 =  3    4 * 1 =  4   ...   8 * 1 =  8    9 * 1 =  9
2 * 2 =  4    3 * 2 =  6    4 * 2 =  8   ...   8 * 2 = 16    9 * 2 = 18
2 * 3 =  6    3 * 3 =  9    4 * 3 = 12   ...   8 * 3 = 24    9 * 3 = 27
2 * 4 =  8    3 * 4 = 12    4 * 4 = 16   ...   8 * 4 = 32    9 * 4 = 36
2 * 5 = 10    3 * 5 = 15    4 * 5 = 20   ...   8 * 5 = 40    9 * 5 = 45
2 * 6 = 12    3 * 6 = 18    4 * 6 = 24   ...   8 * 6 = 48    9 * 6 = 54
2 * 7 = 14    3 * 7 = 21    4 * 7 = 28   ...   8 * 7 = 56    9 * 7 = 63
2 * 8 = 16    3 * 8 = 24    4 * 8 = 32   ...   8 * 8 = 64    9 * 8 = 72
2 * 9 = 18    3 * 9 = 27    4 * 9 = 36   ...   8 * 9 = 72    9 * 9 = 81
```

풀이

https://myanjini.tistory.com/entry/실습-구구단-출력

실습: 다양한 형태의 피라미드 출력

중첩 반복문을 이용해 아래와 같은 다양한 형태의 피라미드를 출력해 보세요.

별로 이루어진 정방형 피라미드

```
    *
   ***
  *****
 *******
*********
```

별로 이루어진 역 피라미드

```
*********
 *******
  *****
   ***
```

```
      *
```

숫자로 이루어진 피라미드

```
        1
      121
    12321
  1234321
123454321
```

문자로 이루어진 피라미드

```
        A
      ABA
    ABCBA
  ABCDCBA
ABCDEDCBA
```

별과 숫자가 혼합된 피라미드

```
      *
     *1
    *21
   *321
  *4321
```

풀이

https://myanjini.tistory.com/entry/실습-다양한-형태의-피라미드-출력

제어문과 함께 사용하는 키워드

반복문과 조건문 내에서 break, continue, pass, else 문을 사용하여 반복문과 조건문을 제어할 수 있습니다.

break 문

break 문은 반복문을 즉시 종료시키는 데 사용됩니다. for 문이나 while 문 내에서 break 문이 실행되면 반복문은 즉시 중단되고, 반복문 이후의 코드가 실행됩니다. break 문은 특정 조건을 만족할 때 반복을 멈추고 싶을 때 유용합니다.

```
for i in range(10):
    if i == 5:
        break
    print(i, end="\t")

# 실행 결과
# 0      1      2      3      4
```

중첩 반복문에서 break 문을 사용하면 가장 안쪽의 반복문만 종료되며, 바깥쪽 반복문은 계속 실행됩니다.

```
for i in range(3):
    for j in range(3):
        if j == 2:
            break
        print(f"i: {i}, j: {j}")

# 실행 결과
# i: 0, j: 0
# i: 0, j: 1
# i: 1, j: 0
# i: 1, j: 1
```

```
# i: 2, j: 0
# i: 2, j: 1
```

continue 문

continue 문은 반복문의 현재 반복(iteration)을 중단하고 다음 반복으로 넘어가도록 합니다. 즉, continue 문 아래의 코드를 실행하지 않고, 다음 반복을 시작하게 됩니다. for 문과 while 문에서 모두 사용할 수 있으며, 특정 조건에서 다음 반복으로 넘어가고 싶을 때 유용합니다.

아래 예제에서 i가 짝수일 때 continue 문이 실행되어 현재 반복을 건너뛰고 다음 반복으로 넘어갑니다.

```
for i in range(10):
    if i % 2 == 0:
        continue
    print(i, end="\t")

# 실행 결과
# 1       3       5       7       9
```

다음 코드는 문자열의 각 문자를 순회하면서 쉼표(,)와 느낌표(!)를 건너뛰고 나머지 문자만 출력하는 예제입니다.

```
message = "Hello, Python!"
for char in message:
    if char == ',' or char == '!':
        continue
    print(char, end="")

# 실행 결과
```

pass 문

pass 문은 파이썬에서 아무런 동작도 하지 않는 문장입니다. 코드 블록이 필요하지만 특별히 실행할 코드가 없을 때 사용됩니다. 예를 들어, 함수나 클래스의 정의를 미리 작성해두고 구현은 나중에 할 경우, 또는 조건문이나 반복문에서 아무것도 하지 않고 넘어가고 싶을 때 유용하게 사용할 수 있습니다.

```python
for i in range(5):
    if i == 3:
        pass  # TODO. i가 3인 경우에 대해 구현
    else:
        print(i)

def my_function():
    pass       # TODO. my_function 함수 구현

class MyClass:
    pass       # TODO. MyClass 클래스 구현
```

pass 문을 사용하면 나중에 구현할 코드나 일시적으로 비워둔 코드 블록을 작성할 수 있어, 코드의 구조를 미리 잡아놓고 필요할 때 구현할 수 있습니다.

else 문

else 문은 조건문이나 반복문과 함께 사용되어, 조건이 충족되지 않거나 반복이 정상적으로 완료되었을 때 실행되는 코드 블록을 정의하는 데 사용됩니다.

if 문과 함께 else 문을 사용하면 조건이 참이 아닌 경우 실행할 코드를 정의할 수 있으며, if 문과 elif 문과 함께 else 문을 사용하면 여러 조건을 평가하고, 모든 조건이 거짓일 때 실행할 코드를 정의할 수 있습니다.

반복문과 함께 else 문을 사용하면 반복문이 정상적으로 완료되었을 때 실행할 코드를 정의할 수 있습니다. 만약 반복문이 break 문에 의해 중단되면 else 블록은 실행되지 않습니다.

```
for i in range(5):
    print(i, end="\t")
else:
    print("Loop completed")

for i in range(5):
    if i == 3:
        break
    print(i, end="\t")
else:
    print("Loop completed")

# 실행 결과
# 0      1      2      3      4      Loop completed
# 0      1      2
```

실습: 가위, 바위, 보 게임

3판 양승제로 진행하는 가위, 바위, 보 게임을 구현합니다. 사용자가 입력한 가위, 바위, 보와 컴퓨터가 무작위로 생성한 값을 비교해 승패를 결정하고, 사용자와 컴퓨터 중 2판을 먼저 이기면 최종 승자와 게임 이력을 출력합니다. 세부 요구사항을 참고하여 제시한 소스 코드를 완성해 보세요.

요구사항

1. 사용자에게 가위, 바위, 보 중 하나를 입력받습니다.

   가위, 바위, 보 중 하나를 입력하세요 >>>

2. 가위, 바위, 보 이외의 값을 입력하면 오류 메시지를 출력하고 다시 입력하도록 합니다.

   가위, 바위, 보 중 하나를 입력하세요 >>> 보자기
   잘못된 입력입니다.
   가위, 바위, 보 중 하나를 입력하세요 >>>

3. 가위, 바위, 보를 입력하면 컴퓨터가 생성한 값, 사용자가 입력한 값, 승자(사용자 승, 컴퓨터 승, 무승부)를 출력합니다.

   가위, 바위, 보 중 하나를 입력하세요 >>> 가위
   컴퓨터: 바위
   사용자: 가위 >>> 컴퓨터 승

4. 사용자와 컴퓨터 중 2판을 먼저 이기면 최종 승자와 게임 이력을 출력하고 프로그램을 종료합니다.

   최종 승자 >>> 컴퓨터
   ==========================

사용자	컴퓨터	결과
가위	바위	컴퓨터 승
바위	바위	무승부
보	바위	사용자 승
가위	바위	컴퓨터 승

소스 코드

```
import random
```

```python
# 가위 바위 보 선택지
choices = ["가위", "바위", "보"]

# 게임 결과를 저장할 리스트
results = []

# 승리 횟수 초기화
user_wins = 0
comp_wins = 0

# 승자 결정
def get_winner(user_choice, comp_choice):
    pass
    # TODO: 승자를 결정해 결과에 맞는 승리 횟수를 증가하고
    #       무승부, 사용자 승, 컴퓨터 승 중 하나를 반환합니다.


# 3판 양승제 게임 진행
while user_wins < 2 and comp_wins < 2:
    comp_choice = random.choice(choices)
    user_choice = ""
    winner = ""

    # TODO: 사용자 입력을 받아 입력값을 검증하고,
    #       가위, 바위, 보를 입력한 경우 승자를 결정해
    #       게임 결과(컴퓨터 값, 사용자 값, 승자)를 저장합니다.

    # 게임 결과(컴퓨터가 생성한 값, 사용자가 입력한 값, 승자)를 출력
    print(f"컴퓨터: {comp_choice}")
    print(f"사용자: {user_choice}", end="")
    print(f" >>> {winner}")

# 최종 승자 출력
if user_wins == 2:
    final_winner = "사용자"
```

```
    else:
        final_winner = "컴퓨터"

    print(f"\n최종 승자 >>> {final_winner}")
    print("=" * 24)

    # 게임 이력 출력
    header = ["사용자", "컴퓨터", "결과"]
    print(f"{header[0]}\t{header[1]}\t{header[2]}")
    print("-" * 7, end=" ")
    print("-" * 7, end=" ")
    print("-" * 8)
    # TODO: 게임 이력을 출력합니다.
```

풀이

https://myanjini.tistory.com/entry/실습-가위-바위-보-게임

리스트 컴프리헨션(List Comprehension)

리스트 컴프리헨션(List Comprehension)은 간결하고 효율적인 방식으로 새로운 리스트를 생성하는 문법입니다. 파이썬의 반복문과 조건문을 한 줄로 표현할 수 있어 코드의 가독성을 높여줍니다. 리스트 컴프리헨션은 다른 반복 가능한 객체(iterable)에서 특정 조건을 만족하는 항목들만을 골라내거나, 각 항목을 변형하여 새로운 리스트를 생성할 때 유용합니다.

리스트 컴프리헨션의 기본 문법은 다음과 같습니다.

```
[expression for item in iterable]
```

- expression : 리스트에 추가할 항목을 정의
- item : 반복문에서 사용하는 변수로, 반복 가능한 객체의 각 요소를 나타냄
- iterable : 리스트, 튜플, 문자열 등 반복 가능한 객체

1부터 10까지의 숫자를 담은 리스트 numbers를 생성합니다.

```
numbers = [x for x in range(1, 11)]
print(numbers)

# 실행 결과
# [1, 2, 3, 4, 5, 6, 7, 8, 9, 10]
```

아래 코드는 리스트 컴프리헨션과 동일한 동작을 for 문으로 변경한 것으로, 리스트 컴프리헨션의 동작을 이해하는데 도움이 됩니다.

```
numbers = []
for x in range(1, 11):
    numbers.append(x)
print(numbers)

# 실행 결과
# [1, 2, 3, 4, 5, 6, 7, 8, 9, 10]
```

리스트 numbers의 각 요소를 제곱하여 새로운 리스트 squares를 생성합니다.

```
squares = [x**2 for x in range(1, 11)]
print(squares)

# 실행 결과
# [1, 4, 9, 16, 25, 36, 49, 64, 81, 100]
```

리스트 words의 각 문자열을 대문자로 변환하여 새로운 리스트 upper_words를 생성합니다.

```python
words = ["hello", "world", "python"]
upper_words = [word.upper() for word in words]
print(upper_words)

# 실행 결과
# ['HELLO', 'WORLD', 'PYTHON']
```

리스트 컴프리헨션에 조건문을 추가하여 특정 조건을 만족하는 항목만 리스트에 포함할 수 있습니다.

```python
[expression for item in iterable if condition]
```

- condition : 각 항목에 대해 평가되는 조건식입니다. 조건식이 True 일 때만 항목(item)이 리스트에 포함됩니다.

다음 코드는 리스트 numbers의 요소 중 짝수만 포함하는 새로운 리스트 even_numbers를 생성합니다.

```python
numbers = [1, 2, 3, 4, 5, 6, 7, 8, 9, 10]
even_numbers = [x for x in numbers if x % 2 == 0]
print(even_numbers)

# 실행 결과
# [2, 4, 6, 8, 10]
```

위의 코드 동작을 쉽게 이해할 수 있도록 for 문과 if 문을 이용해서 동일한 기능을 구현해 보면 다음과 같습니다.

```
numbers = [1, 2, 3, 4, 5, 6, 7, 8, 9, 10]
even_numbers = []
for x in numbers:
    if x % 2 == 0:
        even_numbers.append(x)
print(even_numbers)

# 실행 결과
# [2, 4, 6, 8, 10]
```

다음 코드는 1부터 10까지의 숫자 중 짝수의 제곱을 담은 even_squares 리스트를 생성합니다.

```
even_squares = [x**2 for x in range(1, 11) if x % 2 == 0]
print(even_squares)

# 실행 결과
# [4, 16, 36, 64, 100]
```

다음 코드는 리스트 words의 요소 중 길이가 5 이하인 문자열만 포함하는 새로운 리스트 short_words를 생성합니다.

```
words = ["hello", "world", "python", "is", "awesome"]
short_words = [word for word in words if len(word) <= 5]
print(short_words)

# 실행 결과
# ['hello', 'world', 'is']
```

리스트 컴프리헨션을 중첩하여 다차원 리스트를 생성하거나 변환할 수 있습니다. 다음 코드는 2차원 리스트 matrix를 1차원 리스트 flattened로 변환합니다.

```
matrix = [[1, 2, 3], [4, 5, 6], [7, 8, 9]]
flattened = [num for row in matrix for num in row]
print(flattened)

# 실행 결과
# [1, 2, 3, 4, 5, 6, 7, 8, 9]
```

위 코드를 중첩된 for 문을 이용해 표현하면 아래 코드와 같습니다.

```
matrix = [[1, 2, 3], [4, 5, 6], [7, 8, 9]]
flattened = []
for row in matrix:
    for num in row:
        flattened.append(num)
print(flattened)

# 실행 결과
# [1, 2, 3, 4, 5, 6, 7, 8, 9]
```

리스트 컴프리헨션에서 여러 조건을 사용하여 더 복잡한 필터링을 할 수도 있습니다. 다음 코드는 1부터 3까지의 숫자와 1부터 2까지의 숫자를 조합한 결과 중 두 숫자가 다른 경우만을 모은 리스트를 반환하는 예제입니다.

```
combine = [(x, y) for x in range(1, 4) for y in range(1, 3) if x != y]
print(combine)

# 실행 결과
# [(1, 2), (2, 1), (3, 1), (3, 2)]
```

위 코드를 중첩된 for 문과 if 문으로 표현하면 아래 코드와 같습니다.

```
combine = []
for x in range(1, 4):
    for y in range(1, 3):
        if x != y:
            combine.append((x, y))
print(combine)

# 실행 결과
# [(1, 2), (2, 1), (3, 1), (3, 2)]
```

리스트 컴프리헨션은 파이썬에서 리스트를 간결하고 효율적으로 생성할 수 있는 강력한 도구로, 기본적인 사용법부터 조건부 리스트 컴프리헨션, 중첩 리스트 컴프리헨션, 그리고 여러 조건과 결합한 리스트 컴프리헨션까지 다양한 방법으로 활용할 수 있습니다. 리스트 컴프리헨션을 적절히 사용하면 코드의 가독성과 효율성을 크게 향상시킬 수 있습니다.

실습: 주민등록번호를 이용한 성별과 만 나이 계산

사용자가 이름과 주민등록번호를 입력하면 "이름(성별) 만○○세" 형식으로 출력하는 프로그램을 작성해 보세요.

1. 사용자에게 이름과 주민등록번호를 입력받습니다.
2. 주민등록번호의 7번째 자리의 숫자를 이용해 성별을 판단합니다. (1과 3은 남성, 2와 4는 여성)
3. 주민등록번호의 첫 6자리와 7번째 자리 숫자를 이용해 생년월일을 추출합니다. 7번째 자리 숫자가 1이나 2면 1900년대 출생, 3이나 4면 2000년대 출생으로 판단합니다.

4. datetime 모듈을 사용하여 현재 날짜와 생년월일을 비교하여 만 나이를 계산합니다.

5. 이름과 함께 성별, 만 나이를 출력합니다.

소스 코드

```
from datetime import datetime

def calculate_age(birthday):
    today = datetime.today()
    age = today.year - birthday.year
    if today.month < birthday.month or (today.month == birthday.month and
today.day < birthday.day):
        age -= 1
    return age

def main():
    name = input("이름을 입력하세요: ")
    rrn = input("주민등록번호를 입력하세요 (예: 901010-1234567): ")

    # 주민등록번호에서 성별, 생년월일 추출
    # TODO

    # 성별 판별
    # TODO

    # 결과 출력
    print(f"{name}({gender}) 만{age}세")

if __name__ == "__main__":
    main()
```

풀이

https://myanjini.tistory.com/entry/실습-주민등록번호를-이용한-나이-성별-추출

4장 함수

Simple is better than complex.

파이썬에서 함수는 코드의 재사용성과 가독성을 높이기 위해 코드 블록을 하나의 단위로 묶어 이름을 붙인 것입니다. 함수는 특정 작업을 수행하고, 필요에 따라 값을 반환할 수 있습니다. 함수를 정의하고 호출하는 방법, 인자와 반환값을 처리하는 방법, 그리고 다양한 함수 유형에 대해 알아 보겠습니다.

함수 정의 및 호출

함수는 def 키워드를 사용하여 정의합니다. 함수 이름 뒤에 괄호를 쓰고, 필요한 경우 매개변수를 정의합니다. 함수 본문은 들여쓰기로 구분됩니다.

```
def 함수이름(매개변수1, 매개변수2, ...):
    """문서화 문자열 (선택사항)"""
    함수의 본문
    return 반환값 (선택사항)
```

정의된 함수는 함수 이름과 괄호를 사용하여 호출합니다. 필요한 경우 인수(argument)를 전달할 수 있습니다.

```
def greet():
    print("Hello, World!")

greet("Alice")      # Hello, Alice
```

매개변수와 인수

매개변수(parameters)는 함수를 정의할 때 함수에 전달될 입력값을 받기 위해 사용하는 변수로, 함수의 선언 부분에 나오는 변수들입니다. 매개변수는 함수가 호출될 때 전달받을 인수의 자리표시자 역할을 합니다. 인수(arguments)는 함수를 호출할 때 함수에 실제로 전달하는 값입니다. 즉, 매개변수에 대응되는 실제 값으로, 함수가 호출될 때 매개변수에 전달되어 함수 내에서 사용됩니다.

```
def add(a, b):
```

```
    return a + b

result = add(3, 5)
print(result)
```

위 예제에서 a와 b는 매개변수이며, 3과 5는 인수입니다. 함수 add를 호출할 때 인수 3과 5는 매개변수 a와 b로 전달되며, 함수 add는 매개변수로 전달된 인수의 합을 계산해서 반환합니다.

기본 매개변수 값

매개변수에 기본값을 지정할 수 있습니다. 기본값이 지정된 매개변수는 함수 호출 시 생략 가능하며, 생략된 경우 기본값이 사용됩니다.

```
def greet(name, message="Hello"):
    print(f"{message}, {name}!")

greet("Alice")                    # Hello, Alice!
greet("Bob", "Good morning")     # Good morning, Bob!
```

키워드 인수

함수를 호출할 때 인수의 순서를 맞추지 않고, 매개변수 이름을 사용하여 값을 전달할 수 있습니다.

```
def greet(name, message):
    print(f"{message}, {name}!")

greet(message="Hi", name="Alice")   # Hi, Alice!
```

가변 매개변수

함수에 전달되는 인수의 개수가 가변적인 경우, 가변 위치 인수(*args)와 가변 키워드 인수(**kwargs)를 사용할 수 있습니다.

가변 위치 인수(*args)는 함수가 임의 개수의 인수를 받을 수 있도록 합니다. 인수는 튜플 형태로 전달됩니다.

```python
def add(*args):
    return sum(args)

result = add(1, 2, 3, 4)
print(result)          # 10
```

함수는 *args 외에도 다른 고정 인수를 가질 수 있습니다. 아래 예제에서는 a와 b는 고정 인수로 받고, 나머지 인수들은 args 튜플로 전달됩니다.

```python
def my_function(a, b, *args):
    print(a, b)        # 1 2
    print(args)        # (3, 4, 5)

my_function(1, 2, 3, 4, 5)
```

가변 키워드 인수(**kwargs)는 함수가 임의의 개수의 키워드 인수를 받을 수 있도록 합니다. 인수는 딕셔너리 형태로 전달됩니다.

```
def greet(**kwargs):
    for key, value in kwargs.items():
        print(f"{key} = {value}")

greet(name="Alice", age=30, city="New York")

# 실행 결과
# name = Alice
# age = 30
# city = New York
```

함수는 **kwargs 외에도 다른 고정 인수를 가질 수 있습니다. 아래 예제에서는 a와 b는 고정 인수로 받고, 나머지 키워드 인수들은 kwargs 딕셔너리로 전달됩니다.

```
def my_function(a, b, **kwargs):
    print(a, b)       # 1 2
    print(kwargs)     # {'name': 'John', 'age': 30}

my_function(1, 2, name="John", age=30)
```

*args와 **kwargs는 하나의 함수에서 함께 사용할 수 있습니다. 이 경우 **고정 인수, *args, **kwargs** 순서로 선언해야 합니다.

아래 예제에서는 고정 인수 a와 b에 1과 2의 값이, 가변 위치 인수 args에 3, 4, 5 값이, 가변 키워드 인수 kwargs에 name="John", age=30 값이 전달되어 처리됩니다.

```
def my_function(a, b, *args, **kwargs):
    print(a, b)        # 1 2
    print(args)        # (3, 4, 5)
    print(kwargs)      # {'name': 'John', 'age': 30}

my_function(1, 2, 3, 4, 5, name="John", age=30)
```

인자 언패킹

언패킹(unpacking)은 묶인 변수(튜플, 리스트, 딕셔너리 등)를 개별 인자로 풀어주는 것을 뜻 합니다.

위치 인자 언패킹은 함수 호출 시 리스트나 튜플 앞에 "*"를 붙여 요소들을 개별 인자로 풀어주는 방법으로, 이를 통해 리스트나 튜플을 함수의 여러 인자로 쉽게 전달할 수 있습니다.

```python
def unpack_example(a, b, c):
    print(a, b, c)

values = [1, 2, 3]
unpack_example(*values)

# 실행 결과
# 1 2 3
```

여기서 *values는 리스트 [1, 2, 3]을 개별 인자인 1, 2, 3으로 언패킹하여 함수에 전달합니다.

키워드 인자 언패킹은 함수 호출 시 딕셔너리 앞에 "**"를 붙여 키-값 쌍을 개별 키워드 인자로 풀어주는 방법입니다. 이를 통해 딕셔너리를 함수의 여러 키워드 인자로 쉽게 전달할 수 있습니다.

```python
def unpack_example(name, age, city):
    print(f"name: {name}, age: {age}, city: {city}")

info = {"name": "Alice", "age": 30, "city": "Wonderland"}
```

```
unpack_example(**info)

# 실행 결과
# name: Alice, age: 30, city: Wonderland
```

여기서 **info는 딕셔너리 {"name": "Alice", "age": 30, "city": "Wonderland"}를 키워드
인자인 name="Alice", age=30, city="Wonderland"로 언패킹하여 함수에 전달합니다.

참조에 의한 전달

파이썬에서 함수에 인수를 전달할 때, 인수의 참조가 함수에 전달됩니다. 이는 함수가
인수로 받은 객체를 직접 수정할 수 있음을 의미합니다.

```
def modify_list(lst):
    lst.append(4)

my_list = [1, 2, 3]
modify_list(my_list)
print(my_list)        # [1, 2, 3, 4]
```

위 코드에서는 리스트 my_list가 modify_list 함수에 전달됩니다. 함수 내부에서 리스트에
값을 추가하면 원래의 리스트 객체가 변경됩니다.

```
def modify_value(val):
    val = val + 1

x = 10
modify_value(x)
print(x)  # Output: 10
```

위 코드에서는 정수 x가 modify_value 함수에 전달됩니다. 정수는 불변 객체이므로 함수 내부에서 값을 변경해도 원래의 객체는 변경되지 않습니다.

함수 내부에서 새로운 객체를 할당하면, 원래의 참조와는 다른 새로운 참조가 만들어집니다. 이는 함수 외부의 원래 객체에는 영향을 미치지 않습니다.

```python
def reassign_list(lst):
    lst = [4, 5, 6]   # 새로운 리스트 객체를 lst에 할당

numbers = [1, 2, 3]
reassign_list(numbers)
print(numbers)          # [1, 2, 3]
```

위 코드에서는 함수 내부에서 lst 매개변수에 새로운 리스트를 할당했지만, 이는 함수 외부의 원래 리스트에 영향을 미치지 않습니다.

실습: 통계 계산기

사용자가 입력한 여러 개의 숫자들의 합계, 평균, 최솟값, 최댓값을 계산하고 출력하는 프로그램을 작성해 보겠습니다.

```python
def calculate(*args):
    if not args:
        return None, None, None, None
```

*args는 가변 인자를 받기 위한 구문입니다. 이를 통해 함수는 여러 개의 위치 인자를 받을 수 있습니다. if not args: 구문은 인자가 하나도 전달되지 않았을 경우, 모든 결과값을 None으로 반환해 잘못된 계산이 실행되는 것을 막습니다.

```
    total = sum(args)
    average = total / len(args)
    minimum = min(args)
    maximum = max(args)
```

전달된 인자들의 합계, 평균, 최솟값, 최댓값을 계산합니다.

```
return total, average, minimum, maximum
```

계산한 합계, 평균, 최솟값, 최댓값을 튜플 형태로 반환합니다.

```
def main():
    user_input = input("숫자들을 콤마로 구분해 입력하세요 (예: 5, 10, 15,
20, 25): ")
```

input 함수를 사용하여 사용자로부터 숫자 데이터를 입력을 받습니다. 예를 들어, 사용자는 "5, 10, 15, 20, 25"과 같이 콤마로 구분된 숫자 데이터를 입력할 수 있습니다.

```
    try:
        numbers = [float(num.strip()) for num in user_input.split(",")]
    except ValueError:
        print("유효한 숫자를 입력해주세요.")
        return
```

user_input.split(",")를 사용하여 입력된 문자열을 콤마(,)로 분리합니다. 그 결과 숫자로 구성된 문자열을 항목으로 가지는 리스트가 반환됩니다.
[float(num.strip()) for num in user_input.split(",")]는 리스트 각 항목(문자열)에서 공백을 제거(strip())하고, 부동 소수점 숫자(float)로 변환합니다. 변환 과정에서 숫자가

아닌 값이 포함된 경우 ValueError가 발생하며, 이 경우 "유효한 숫자를 입력해주세요."라는 메시지를 출력하고 함수를 종료합니다.

```python
    total, average, minimum, maximum = calculate(*numbers)

    if total is None:
        print("숫자가 입력되지 않았습니다.")
    else:
        print("═══ 통계 계산기 ═══")
        print(f"입력된 숫자들: {numbers}")
        print(f"합계: {total}")
        print(f"평균: {average:.2f}")
        print(f"최솟값: {minimum}")
        print(f"최댓값: {maximum}")
```

calculate(*numbers)를 호출하여 리스트 numbers를 개별 인자로 언패킹하여 함수에 전달합니다. 반환된 합계, 평균, 최솟값, 최댓값을 변수에 저장합니다.

if total is None: 구문은 인자가 하나도 전달되지 않았을 경우를 처리합니다. 이 경우, "숫자가 입력되지 않았습니다."라는 메시지를 출력합니다.

그렇지 않은 경우, 통계 결과를 출력합니다. 평균(average)은 소수점 둘째 자리까지 포맷하여 출력합니다.

```python
if __name__ == "__main__":
    main()
```

이 구문은 현재 스크립트가 직접 실행될 때 main 함수를 호출하도록 합니다. 이를 통해 프로그램이 시작됩니다.

전체 소스 코드와 실행 결과는 다음과 같습니다.

소스 코드

```python
def calculate(*args):
    if not args:
        return None, None, None, None

    total = sum(args)
    average = total / len(args)
    minimum = min(args)
    maximum = max(args)

    return total, average, minimum, maximum

def main():
    # 사용자로부터 숫자 입력 받기
    user_input = input("숫자들을 콤마로 구분해 입력하세요 (예: 5, 10, 15, 20, 25): ")

    # 입력된 문자열을 숫자 리스트로 변환
    try:
        numbers = [float(num.strip()) for num in user_input.split(",")]
    except ValueError:
        print("유효한 숫자를 입력해주세요.")
        return

    # 통계 계산 함수 호출
    total, average, minimum, maximum = calculate(*numbers)

    if total is None:
        print("숫자가 입력되지 않았습니다.")
    else:
        # 결과 출력
        print("=== 통계 계산기 ===")
        print(f"입력된 숫자들: {numbers}")
        print(f"합계: {total}")
        print(f"평균: {average:.2f}")
        print(f"최솟값: {minimum}")
```

```
        print(f"최댓값: {maximum}")

if __name__ == "__main__":
    main()
```

실행 결과

```
숫자들을 콤마로 구분해 입력하세요 (예: 5, 10, 15, 20, 25): 7, 9, 11, 3, 5
═══ 통계 계산기 ═══
입력된 숫자들: [7.0, 9.0, 11.0, 3.0, 5.0]
합계: 35.0
평균: 7.00
최솟값: 3.0
최댓값: 11.0
```

실습: 주문 처리 함수

사용자가 입력한 주문 항목과 옵션을 받아서, 총액, 할인액, 전체 할인율, 최종 결제 금액을 표시하는 process_order 함수를 작성합니다. 세부 요구사항과 동작은 아래와 같습니다.

1. 사용자가 주문 가능한 항목과 각 항목의 가격을 제공합니다.
2. 사용자는 주문할 항목을 입력할 수 있어야 하며, 입력한 항목이 제공된 항목 리스트에 포함되어 있어야 합니다.
3. 사용자는 여러 개의 항목을 주문할 수 있어야 하며, 같은 항목을 입력하면 중복해서 처리합니다.
4. 사용자가 아무것도 입력하지 않고 엔터 키를 누르면 항목 입력을 종료합니다.
5. 사용자는 배달 여부를 '예' 또는 '아니오'로 입력할 수 있어야 하며, 배달 옵션이 '아니오'일 경우 10% 할인을 적용합니다.

6. 사용자는 결제 수단을 '신용카드' 또는 '현금'으로 입력할 수 있어야 하며, 결제 옵션이 '현금'일 경우 10% 할인을 적용합니다.

7. 배달 여부 할인과 결제 수단 할인은 중복해서 적용합니다. (최대 20% 할인)

8. 사용자가 잘못된 내용을 입력하면, 경고 메시지를 출력하고 다시 입력하도록 합니다.

9. 주문한 항목, 옵션, 총액, 할인액, 전체 할인율, 최종 결제 금액을 포함한 주문서를 출력합니다.

10. 금액은 1000단위로 콤마를 추가하여 표시하고, 오른쪽으로 정렬하여 출력합니다.

실행 예 1) 배달 여부 "예", 결제 수단 "신용카드"

```
[[   주문 가능한 항목  ]]
 - 피자         12,000원
 - 음료수        2,000원
 - 샐러드        7,000원
 - 버거          8,000원
 - 감자튀김      3,000원

주문할 항목을 입력하세요 >>> 아무것도 입력하지 않고 엔터 키를 누르면
입력을 종료합니다
항목: 피자
항목: 음료수
항목: 음료수
항목: 감자튀김
항목:

배달 옵션 >>> 예 / 아니오(선택 시 10% 할인)
배달: 예

결제 옵션 >>> 신용카드 / 현금(선택 시 10% 할인)
결제: 신용카드

************************
      주  문  서
************************
```

```
주문한 항목:
 - 피자:        12,000원
 - 음료수:       2,000원
 - 음료수:       2,000원
 - 감자튀김:     3,000원

옵션:
 - 배달: 예
 - 결제: 신용카드

금액:
 - 전체:    19,000원
 - 할인:         0원  (할인율: 0%)
 - 결제:    19,000원
```

실행 예 2) 배달 여부 "예", 결제 수단 "현금"

```
... 항목 입력 부분은 동일 ...

배달 옵션 >>> 예 / 아니오(선택 시 10% 할인)
배달: 예

결제 옵션 >>> 신용카드 / 현금(선택 시 10% 할인)
결제: 현금

***********************
      주  문  서
***********************

주문한 항목:
 - 피자:        12,000원
 - 음료수:       2,000원
 - 음료수:       2,000원
 - 감자튀김:     3,000원

옵션:
 - 배달: 예
 - 결제: 현금

금액:
 - 전체:    19,000원
```

```
  - 할인:     1,900원 (할인율: 10%)
  - 결제:    17,100원
```

실행 예 3) 배달 여부 "아니오", 결제 수단 "신용카드"

```
... 항목 입력 부분은 동일 ...

배달 옵션 >>> 예 / 아니오(선택 시 10% 할인)
배달: 아니오

결제 옵션 >>> 신용카드 / 현금(선택 시 10% 할인)
결제: 신용카드

************************
    주  문  서
************************

주문한 항목:
  - 피자:       12,000원
  - 음료수:      2,000원
  - 음료수:      2,000원
  - 감자튀김:     3,000원

옵션:
  - 배달: 아니오
  - 결제: 신용카드

금액:
  - 전체:     19,000원
  - 할인:      1,900원 (할인율: 10%)
  - 결제:     17,100원
```

실행 예 4) 배달 여부 "아니오", 결제 수단 "현금"

```
... 항목 입력 부분은 동일 ...

배달 옵션 >>> 예 / 아니오(선택 시 10% 할인)
```

배달: 아니오

결제 옵션 >>> 신용카드 / 현금(선택 시 10% 할인)
결제: 현금

```
************************
        주   문   서
************************
```

주문한 항목:
 - 피자: 12,000원
 - 음료수: 2,000원
 - 음료수: 2,000원
 - 감자튀김: 3,000원

옵션:
 - 배달: 아니오
 - 결제: 현금

금액:
 - 전체: 19,000원
 - 할인: 3,800원 (할인율: 20%)
 - 결제: 15,200원

소스 코드

```python
#
# TODO process_order 함수 구현
#

# 주문 가능한 항목과 옵션 정의
available_items = {
    '피자': 12000,
    '음료수': 2000,
    '샐러드': 7000,
    '버거': 8000,
    '감자튀김': 3000
}
available_delivery_options = ['예', '아니오']
```

```python
available_payment_options = ['신용카드', '현금']

# 사용자 입력 받기
items = []
options = {}
total_amount = 0
discount_amount = 0
discount_rate = 0
final_amount = 0

# 주문 가능한 항목 보여주기
print("[[  주문 가능한 항목  ]]")
for item, price in available_items.items():
    print(f" - {item} \t{price:>6,}원")

# 주문 항목 입력
print("\n주문할 항목을 입력하세요 >>> 아무것도 입력하지 않고 엔터 키를
누르면 입력을 종료합니다")
while True:
    item = input("항목: ")
    if not item:
        break
    if item in available_items:
        items.append((item, available_items[item]))
        total_amount += available_items[item]
    else:
        print("잘못된 항목입니다. 가능한 항목 중에서 선택하세요.")

# 배달 옵션 입력
print("\n배달 옵션 >>> 예 / 아니오(선택 시 10% 할인)")
while True:
    delivery = input("배달: ")
    if delivery in available_delivery_options:
        options['배달'] = delivery
        break
    else:
```

```python
        print("잘못된 배달 옵션입니다. '예' 또는 '아니오' 중에서
선택하세요.")

# 결제 옵션 입력
print("\n결제 옵션 >>> 신용카드 / 현금(선택 시 10% 할인)")
while True:
    payment = input("결제: ")
    if payment in available_payment_options:
        options['결제'] = payment
        break
    else:
        print("잘못된 결제 옵션입니다. '신용카드' 또는 '현금' 중에서
선택하세요.")

# 할인 적용
if options['결제'] == '현금':
    discount_rate += 0.1
if options['배달'] == '아니오':
    discount_rate += 0.1

discount_amount = int(total_amount * discount_rate)
final_amount = total_amount - discount_amount

# 함수 호출
process_order(items, total_amount, discount_amount, final_amount,
discount_rate, **options)
```

풀이

https://myanjini.tistory.com/entry/실습-주문-처리-함수

반환값

함수는 호출된 위치로 값을 반환할 수 있습니다. 함수는 return 문을 사용하여 하나의 값 또는 여러 값을 반환할 수 있으며, return 문이 없으면 함수는 None을 반환합니다.

```python
def add(a, b):
    return a + b

result = add(3, 5)
print(result)     # 8
```

파이썬 함수는 여러 값을 반환할 수 있습니다. 함수에서 return 문을 사용하여 여러 값을 쉼표로 구분하여 반환하면, 하나의 튜플로 묶여서 반환됩니다.

```python
def get_name_and_age():
    return "Alice", 30

name, age = get_name_and_age()
print(name, age)  # Alice 30
```

튜플 외에도 리스트나 딕셔너리를 사용하여 여러 값을 반환할 수 있습니다. 딕셔너리를 사용하면 반환되는 값에 이름을 붙일 수 있어 코드 가독성을 높일 수 있습니다.

```python
# 리스트 반환
def get_numbers():
    return [1, 2, 3, 4, 5]

numbers = get_numbers()
print(numbers)     # [1, 2, 3, 4, 5]
```

```
# 딕셔너리 반환
def get_user_profile():
    profile = {
        "name": "John",
        "email": "john@test.com"
    }
    return profile

profile = get_user_profile()
print(profile)    # {'name': John, 'email': 'john@test.com'}
```

다양한 값을 반환하는 특징을 이용하여 두 수의 덧셈, 뺄셈, 곱셈, 나눗셈 결과를 반환하는
함수를 작성할 수 있습니다.

```
def calculate(a, b):
    return a + b, a - b, a * b, a / b if b != 0 else None

a, b = 10, 5
c = calculate(a, b)
print(f"덧셈: {c[0]}, 뺄셈: {c[1]}, 곱셈: {c[2]}, 나눗셈: {c[3]}")

# 실행 결과
# 덧셈: 15, 뺄셈: 5, 곱셈: 50, 나눗셈: 2.0
```

함수 내에서 다른 함수 호출

함수는 다른 함수 내부에서 호출될 수 있습니다.

```
def square(x):
    return x * x
```

```
def sum_of_squares(a, b):
    return square(a) + square(b)

result = sum_of_squares(3, 4)
print(result)      # 25
```

문서화 문자열

문서화 문자열(dockstring)은 함수의 설명을 제공하는 문자열로, 함수 정의 직후에 위치하며, """ (세 개의 큰따옴표) 또는 ''' (세 개의 작은따옴표)로 둘러싸인 멀티라인 문자열로 작성합니다.

```
def greet(name):
    """이 함수는 주어진 이름으로 인사합니다."""
    print(f"Hello, {name}!")

print(greet.__doc__)    # 이 함수는 주어진 이름으로 인사합니다.
```

문서화 문자열은 여러 도구와 IDE에서 활용되어 코드를 더 쉽게 이해할 수 있도록 하며, help() 함수를 사용하여 런타임에 문서화 문자열을 확인할 수 있습니다.

```
help(greet)

# 출력
# Help on function greet in module __main__:
#
# greet(name)
#     이 함수는 주어진 이름으로 인사합니다.
```

익명 함수(Lambda)

파이썬에서 익명 함수(Anonymous Function)는 일반적으로 lambda 키워드를 사용하여 정의됩니다. 이러한 함수는 이름이 없기 때문에 익명 함수라고 불리며, 주로 간단한 연산이나 함수 객체를 인수로 전달할 때 유용하게 사용됩니다.

```
lambda 매개변수1, 매개변수2, ... : 표현식
```

익명 함수는 키워드 lambda로 시작하며, 콤마로 구분된 하나 이상의 매개변수와 함수가 반환할 하나의 표현식으로 구성됩니다.

아래 예제에서 lambda x, y: x + y는 x와 y를 매개변수로 받아 x + y를 반환하는 익명 함수입니다. 이 함수는 add 변수에 할당되어 add라는 이름으로 호출할 수 있습니다.

```python
add = lambda x, y: x + y
print(add(2, 3))  # 5
```

익명 함수의 특징

1. 익명 함수는 한 줄로 간단하게 정의할 수 있습니다. 따라서 간단한 연산이나 표현식을 함수로 정의할 때 유용합니다.
2. 익명 함수는 이름이 없기 때문에 일회성으로 사용되는 경우가 많습니다.
3. 익명 함수는 단일 표현식만을 포함할 수 있습니다. 여러 줄로 이루어진 복잡한 논리를 포함할 수 없습니다.

익명 함수의 사용 사례

익명 함수는 고차 함수(higher order function)와 함께 자주 사용됩니다. 고차 함수는 다른 함수들을 인수로 받거나 반환하는 함수로, map, filter, sorted 등이 있습니다.

```python
# 함수 인수로 사용
def apply_function(x, func):
    return func(x)

result = apply_function(5, lambda x: x * 2)
print(result)          # 10


# map() : 주어진 함수와 반복 가능한 객체를 인수로 받아,
#         각 요소에 함수를 적용한 결과를 반환
numbers = [1, 2, 3, 4, 5]
squared = map(lambda x: x ** 2, numbers)
print(list(squared))   # [1, 4, 9, 16, 25]


# filter() : 주어진 함수와 반복 가능한 객체를 인수로 받아,
#            함수의 조건을 만족하는 요소들만 반환
numbers = [1, 2, 3, 4, 5]
evens = filter(lambda x: x % 2 == 0, numbers)
print(list(evens))     # [2, 4]


# sorted() : 주어진 반복 가능한 객체를 정렬된 리스트로 반환
#            key 매개변수를 사용하여 정렬 기준을 정의
students = [('John', 20), ('Jane', 22), ('Dave', 19)]
sorted_students = sorted(students, key=lambda s: s[1])
print(sorted_students)
                   # [('Dave', 19), ('John', 20), ('Jane', 22)]
```

익명 함수는 간단한 연산이나 고차 함수와 함께 사용하기에 적합하며, 표현식 하나만을 포함할 수 있어 코드의 간결성과 가독성을 높이는 데 유용하나, 복잡한 로직이 필요한 경우에는 일반적인 def 함수를 사용하는 것이 더 적합합니다.

재귀 함수(recursive function)

재귀 함수는 함수가 자기 자신을 호출하는 함수를 의미합니다. 재귀 함수는 복잡한 문제를 간단한 형태로 나누어 해결할 수 있는 강력한 도구로 특히, 수학적 개념이나 알고리즘에서 자주 사용됩니다. 파이썬에서 재귀 함수를 정의하고 사용하는 방법에 대해 알아보겠습니다.

재귀 함수 기본 구조

재귀 함수는 기본적으로 기본 사례와 재귀 사례로 구성됩니다.

- **기본 사례(Base Case)**는 재귀 호출을 멈추는 조건으로, 이 조건이 충족되면 함수는 더 이상 자기 자신을 호출하지 않고 종료됩니다.
- **재귀 사례(Recursive Case)**는 함수가 자기 자신을 호출하는 부분으로, 문제를 더 작은 부분으로 나눕니다.

재귀 함수의 장점

1. 간결한 코드: 재귀는 복잡한 문제를 단순하고 직관적인 코드로 표현할 수 있습니다.
2. 문제 분할: 재귀는 문제를 작은 부분으로 나누어 해결하므로, 문제 해결의 논리적 흐름을 쉽게 이해할 수 있습니다.

재귀 함수의 단점

1. 메모리 사용: 재귀 호출이 많아지면 함수 호출 스택이 커져 메모리 사용량이 증가할 수 있습니다.
2. 기본 사례를 놓칠 위험: 기본 사례가 잘못되거나 없으면 무한 루프에 빠질 수 있습니다.

팩토리얼 계산

팩토리얼은 가장 대표적인 재귀 함수의 예입니다. 팩토리얼 n!은 n부터 1까지의 모든 정수를 곱한 값입니다. 수학적으로 n!은 n * (n-1)!로 정의할 수 있으며, 0!은 1로 정의됩니다.

- 기본 사례 ⇒ 0! = 1
- 재귀 사례 ⇒ n! = n * (n-1)!

아래 예제에서 factorial 함수는 자기 자신을 호출하여 n이 0이 될 때까지 반복합니다. n이 0이면 1을 반환하고, 그렇지 않으면 n * (n-1)!을 계산합니다.

```
def factorial(n):
    if n == 0:
        return 1                    # 기본 사례
    else:
        return n * factorial(n - 1) # 재귀 사례

print(factorial(5))                 # 120
```

피보나치 수열

피보나치 수열은 각 항이 그 앞 두 항의 합인 수열입니다. 수학적으로 F(n) = F(n-1) + F(n-2)로 정의할 수 있으며, F(0) = 0과 F(1) = 1입니다.

- 기본 사례 ⇒ F(0) = 0, F(1) = 1
- 재귀 사례 ⇒ F(n) = F(n-1) + F(n-2)

아래 예제에서 fibonacci 함수는 자기 자신을 두 번 호출하여 n이 1 이하가 될 때까지 반복합니다. n이 1 이하이면 n을 반환하고, 그렇지 않으면 F(n-1) + F(n-2)를 계산합니다.

```python
def fibonacci(n):
    if n <= 1:
        return n                              # 기본 사례
    else:
        return fibonacci(n - 1) + fibonacci(n - 2) # 재귀 사례

print(fibonacci(6))                           # 8
```

재귀의 효율성 개선: 메모이제이션(memoization)

재귀 함수는 동일한 계산을 반복적으로 수행할 수 있습니다. 이를 개선하기 위해 메모이제이션 기법을 사용할 수 있습니다. 메모이제이션은 이미 계산한 값을 저장해 두었다가 필요할 때 재사용하는 방법입니다.

아래 예제에서 fibonacci_memo 함수는 memo 딕셔너리를 사용하여 이미 계산한 피보나치 값을 저장하고, 필요할 때 재사용합니다. 이렇게 하면 중복 계산을 피할 수 있어 효율성이 크게 향상됩니다.

```python
def fibonacci_memo(n, memo={}):
    if n in memo:
        return memo[n]
    if n <= 1:
```

```
        return n
    memo[n] = fibonacci_memo(n-1, memo) + fibonacci_memo(n-2, memo)
    return memo[n]

print(fibonacci_memo(6))  # 8
```

실습. 재귀함수를 이용한 기능 구현

다음 조건을 만족하는 프로그램을 재귀 함수를 이용해 작성해 보세요.

함수 1. 매개 변수로 전달 받은 문자열을 역순으로 만들어 반환하는 함수

```
def reverse_string(s):
    # TODO

org = "Hello Python!!!"
rvs = reverse_string(org)
print(org)      # Hello Python!!!
print(rvs)      # !!!nohtyP olleH
```

풀이

https://myanjini.tistory.com/entry/실습-문자열을-역순으로-반환하는-재귀함수

함수 2. 매개 변수로 전달 받은 리스트의 모든 요소의 합을 계산해서 반환하는 함수

```
def sum_list(numbers):
    # TODO
```

```
numbers = [ 1, 2, 3, 4, 5, 6 ]
sum = sum_list(numbers)
print(sum)        # 15
```

풀이

https://myanjini.tistory.com/entry/실습-리스트-모든-요소-합을-반환하는-재귀함수

함수 3. 사용자가 입력한 디렉토리 아래에 포함된 파일과 디렉토리를 출력하는 함수

```
import os

def print_directory_contents(path, level=0):
    try:
        # TODO
    except PermissionError:
        print('      ' * level + '¦-- ' + 'Permission Denied')

dir = input('조회할 디렉토리를 입력하세요: ')
print_directory_contents(dir)
```

실행 예

```
조회할 디렉토리를 입력하세요: c:\test
¦-- subdir1
    ¦-- file1.txt
¦-- subdir2
    ¦-- file2.txt
    ¦-- file3.txt
```

풀이

https://myanjini.tistory.com/entry/실습-디렉토리-트리-출력

실습: 도서관 관리 시스템

다양한 데이터 타입(리스트, 딕셔너리, 집합, 문자열 등)을 각각의 용도에 맞게 사용하는 방법을 실습을 통해 학습해 보겠습니다.

도서 정보(이름, 저자, ISBN, 대출 가능 여부)를 저장하는 리스트 타입의 books 변수와 사용자의 대출 정보를 저장하는 딕셔너리 타입의 users 변수를 이용하여 도서 대출, 반납, 조회 등의 기능을 제공하는 도서관 관리 시스템을 구현합니다.

아래의 세부적인 기능 요구사항을 참고하여 제시된 소스 코드의 TODO 1 ~ 10 부분의 코드를 완성해 보세요.

기능 1. 대출 가능한 도서 목록 보기 - 대출되지 않은 상태의 책 이름, 저자, ISBN을 목록으로 출력합니다. 만약, 대출 가능한 도서가 없는 경우 오류 메시지를 출력합니다.

도서관 관리 시스템

1. 대출 가능한 도서 목록 보기

2. 도서 대출

3. 도서 반납

4. 대출한 도서 목록 보기

5. 종료

원하는 작업의 번호를 입력하세요: 1

대출 가능한 도서 목록: ⟸ 대출 가능한 도서 정보를 목록으로 출력

모비딕 – 허먼 멜빌 (ISBN: 9781503280786)

1984 – 조지 오웰 (ISBN: 9780451524935)

앵무새 죽이기 – 하퍼 리 (ISBN: 9780061120084)

원하는 작업의 번호를 입력하세요: 1

대출 가능한 도서가 없습니다.　　　　　　⇐ 대출 가능한 도서가 없는 경우

기능 2. 도서 대출 – 책을 대출할 사용자의 이름과 대출할 책의 ISBN을 입력하고 대출합니다. 만약, 대출할 사용자의 이름과 대출할 도서의 ISBN이 존재하지 않으면 오류 메시지를 출력합니다.

도서관 관리 시스템

1. 대출 가능한 도서 목록 보기

2. 도서 대출

3. 도서 반납

4. 대출한 도서 목록 보기

5. 종료

원하는 작업의 번호를 입력하세요: 2

사용자 이름을 입력하세요: 홍길동

대출할 도서의 ISBN을 입력하세요: 9781503280786

모비딕 책이 홍길동님에게 대출되었습니다.　　⇐ 정상적으로 대출된 경우

사용자 이름을 입력하세요: 아무개

사용자를 찾을 수 없습니다.　　　　　　　⇐ 사용자의 이름이 존재하지 않는 경우

사용자 이름을 입력하세요: 홍길동

대출할 도서의 ISBN을 입력하세요: 1234

책을 대출할 수 없습니다.　　　　　　　　⇐ ISBN이 존재하지 않는 경우

기능 3. 대출 반납 – 대출자 이름과 대출한 도서의 ISBN을 입력하고 반납합니다. 만약, 대출자 이름과 대출한 도서의 ISBN이 존재하지 않으면 오류 메시지를 출력합니다.

도서관 관리 시스템

1. 대출 가능한 도서 목록 보기

2. 도서 대출

3. 도서 반납

4. 대출한 도서 목록 보기

5. 종료

원하는 작업의 번호를 입력하세요: 3

사용자 이름을 입력하세요: 홍길동

반납할 도서의 ISBN을 입력하세요: 9781503280786

모비딕 책이 홍길동님에게서 반납되었습니다. ⇐ 정상적으로 반납된 경우

사용자 이름을 입력하세요: 아무개   ⇐ 대출자 이름이 존재하지 않는 경우
사용자를 찾을 수 없습니다.

사용자 이름을 입력하세요: 홍길동

반납할 도서의 ISBN을 입력하세요: 1234

책이 홍길동님에게 대출되지 않았습니다.   ⇐ ISBN이 존재하지 않는 경우

기능 4. 대출한 도서 목록 보기 - 사용자 이름을 입력하면 해당 사용자가 대출한 도서 정보를 출력합니다. 만약, 사용자 이름이 없거나, 해당 사용자가 대출한 도서가 없는 경우 오류 메시지를 출력합니다.

도서관 관리 시스템

1. 대출 가능한 도서 목록 보기

2. 도서 대출

3. 도서 반납

4. 대출한 도서 목록 보기

5. 종료

원하는 작업의 번호를 입력하세요: 4

사용자 이름을 입력하세요: 홍길동

대출한 도서 목록:

모비딕 - 허먼 멜빌 (ISBN: 9781503280786) ⇐ 사용자가 대출한 도서 목록을 제공

사용자 이름을 입력하세요: 아무개

사용자를 찾을 수 없습니다.   ⇐ 사용자가 없는 경우

원하는 작업의 번호를 입력하세요: 4

사용자 이름을 입력하세요: 고길동   ⇐ 사용자가 대출한 도서가 없는 경우

library_manage.py

```python
# 도서 목록
books = [
    {"title": "모비딕", "author": "허먼 멜빌", "isbn": "9781503280786",
"available": True},
    {"title": "1984", "author": "조지 오웰", "isbn": "9780451524935",
"available": True},
    {"title": "앵무새 죽이기", "author": "하퍼 리", "isbn":
"9780061120084", "available": True}
]

# 사용자별 대출 목록
users = {
    "홍길동": {"borrowed_books": set()},
    "고길동": {"borrowed_books": set()},
    "신길동": {"borrowed_books": set()}
}

# 도서 대출
def borrow_book(user, isbn):
    # TODO1
    pass

# 도서 반납
def return_book(user, isbn):
    # TODO2
    pass
```

```python
# 도서 목록 조회
def list_books():
    # TODO3
    pass

# 사용자의 대출 도서 조회
def user_borrowed_books(user):
    # TODO4
    pass

# 메뉴 출력
def print_menu():
    print("\n도서관 관리 시스템")
    print("1. 대출 가능한 도서 목록 보기")
    print("2. 도서 대출")
    print("3. 도서 반납")
    print("4. 대출한 도서 목록 보기")
    print("5. 종료")

# 메인 함수
def main():
    while True:
        print_menu()
        menu = input("원하는 작업의 번호를 입력하세요: ")

        if menu == "1":
            # TODO5

        elif menu == "2":
            user = input("사용자 이름을 입력하세요: ").strip()
            # TODO6
            isbn = input("대출 도서의 ISBN을 입력하세요: ").strip()
            # TODO7

        elif menu == "3":
            user = input("사용자 이름을 입력하세요: ").strip()
```

```python
        # TODO8
        isbn = input("반납 도서의 ISBN을 입력하세요: ").strip()
        # TODO9

    elif menu == "4":
        user = input("사용자 이름을 입력하세요: ").strip()
        # TODO10

    elif menu == "5":
        print("시스템을 종료합니다.")
        break

    else:
        print("잘못된 입력입니다. 다시 시도하세요.")

if __name__ == "__main__":
    main()
```

풀이

https://myanjini.tistory.com/entry/실습-도서관-관리-시스템

5장 모듈

Complex is better then complicated.

파이썬에서 모듈과 패키지는 코드의 재사용성과 관리 용이성을 높이는 데 중요한 역할을 합니다. 이번 장에서는 모듈과 패키지의 개념과 사용 방법에 대해서 알아 보겠습니다.

모듈

모듈(module)은 관련된 함수, 클래스, 변수 등을 하나의 파일에 모아놓은 것입니다. 모듈을 사용하면 코드의 재사용성과 유지보수성을 높일 수 있으며, 코드를 더 읽기 쉽고 관리하기 쉽게 만들 수 있습니다. 모듈을 사용하면 코드를 여러 파일로 분리하여 관리할 수 있고, 다른 파일에서 해당 모듈을 불러와서 사용할 수 있습니다.

모듈 만들기

모듈을 만들기 위해서는 파이썬 파일을 생성하고, 그 파일에 함수, 클래스, 변수 등을 정의하면 됩니다. 예를 들어, 두 개의 함수, 하나의 클래스, 그리고 하나의 상수를 포함하는 파이썬 모듈을 아래와 같이 정의할 수 있습니다.

```python
# mymodule.py
def add(a, b):
    return a + b

def subtract(a, b):
    return a - b

class Calculator:
    def multiply(self, a, b):
        return a * b

    def divide(self, a, b):
        if b == 0:
            raise ValueError("Cannot divide by zero")
        return a / b

PI = 3.141592653589793
```

모듈 사용하기

다른 파이썬 파일에서 mymodule 모듈을 사용하려면 import 문을 사용하여 가져와야 합니다.

```python
# main.py
import mymodule

result_add = mymodule.add(5, 3)
result_subtract = mymodule.subtract(5, 3)
print(result_add)        # 8
print(result_subtract)   # 2

calc = mymodule.Calculator()
result_multiply = calc.multiply(6, 7)
result_divide = calc.divide(10, 2)
print(result_multiply)   # 42
print(result_divide)     # 5.0

print(mymodule.PI)        # 3.141592653589793
```

앞에서 생성한 mymodule.py 파일을 임포트해 mymodule이라는 이름으로 모듈 내의 구성 요소를 사용할 수 있습니다.

mymodule 모듈의 add 함수와 subtract 함수를 호출하여 두 숫자(5와 3)를 더하고 빼는 연산을 수행하고, 그 결과를 각각 result_add와 result_subtract 변수에 저장한 후 출력합니다.

Calculator 클래스의 인스턴스를 생성해 calc 변수에 저장하고, multiply 메서드를 호출하여 두 숫자(6과 7)를 곱하고, divide 메서드를 호출하여 두 숫자(10과 2)를 나누는 연산을 수행합니다. 그 결과를 각각 result_multiply와 result_divide 변수에 저장한 후 출력합니다.

마지막으로 mymodule 모듈의 PI 상수를 출력합니다. 이는 원주율을 나타내는 상수로, 3.141592653589793의 값을 가집니다.

프로그램을 실행하면 add와 subtract 함수의 결과, Calculator 클래스의 multiply와 divide 메서드의 결과, 그리고 PI 상수의 값을 차례대로 출력하는 것을 확인할 수 있습니다.

from ... import ... 구문을 이용해 모듈 전체를 가져오지 않고, 모듈 내 특정 함수나 클래스, 또는 상수만 가져와서 사용할 수도 있습니다.

```python
from mymodule import add, Calculator, PI

result_add = add(5, 3)
print(result_add)          # 8

calc = Calculator()
result_multiply = calc.multiply(6, 7)
result_divide = calc.divide(10, 2)
print(result_multiply)     # 42
print(result_divide)       # 5.0

print(PI)                  # 3.141592653589793
```

위 코드는 mymodule 모듈에서 필요한 구성 요소(add 함수, Calculator 클래스, PI 상수)를 개별적으로 임포트해 사용하는 프로그램입니다. 이렇게 하면 mymodule.add, mymodule.Calculator, mymodule.PI와 같이 모듈 이름을 접두사로 붙이는 대신 add, Calculator, PI와 같이 직접 사용할 수 있습니다.

모듈을 가져올 때 별칭(alias)을 사용할 수도 있습니다.

```python
import mymodule as mm;

result_add = mm.add(5, 3)
result_subtract = mm.subtract(5, 3)
print(result_add)        # 8
print(result_subtract)   # 2

calc = mm.Calculator()
result_multiply = calc.multiply(6, 7)
result_divide = calc.divide(10, 2)
print(result_multiply)   # 42
print(result_divide)     # 5.0

print(mm.PI)             # 3.141592653589793
```

위 코드는 mymodule 모듈 대신 mm이라는 짧은 이름을 사용하여 모듈의 구성 요소를 참조합니다.

모듈 내의 함수 및 클래스를 가져올 때도 별칭(alias)을 사용할 수 있습니다.

```python
from mymodule import add as sum, Calculator as C, PI as pi

result_add = sum(5, 3)
print(result_add)        # 8

calc = C()
result_multiply = calc.multiply(6, 7)
result_divide = calc.divide(10, 2)
print(result_multiply)   # 42
print(result_divide)     # 5.0
```

```
print(pi)                    # 3.141592653589793
```

각 구성 요소를 다른 이름으로 사용하여 코드를 간결하고 가독성 있게 작성하는 방법으로, mymodule 모듈에서 add 함수를 sum이라는 별칭으로, Calculator 클래스를 C라는 별칭으로, PI 상수를 pi라는 별칭으로 임포트합니다. 이렇게 하면 mymodule.add, mymodule.Calculator, mymodule.PI 대신 sum, C, pi와 같이 간결한 이름으로 모듈의 구성 요소를 사용할 수 있습니다.

패키지

패키지(package)는 모듈을 계층적으로 구성하여 더 큰 프로젝트를 관리하기 쉽게 만드는 방법입니다. 패키지를 구성하는 기본적인 요소는 디렉토리와 __init__.py 파일입니다. __init__.py 파일은 해당 디렉토리가 패키지의 일부임을 파이썬에게 알려줍니다. 이 파일은 비어 있을 수도 있고, 패키지를 초기화하는 코드가 포함될 수도 있습니다.

패키지 구조

다음과 같은 디렉토리 구조를 생각해 보겠습니다.

```
mypackage/
    __init__.py              패키지 초기화 파일
    module1.py               첫번째 모듈
    module2.py               두번째 모듈
    subpackage/
        __init__.py          서브 패키지 초기화 파일
        submodule1.py        서브 패키지의 첫 번째 모듈
```

각 모듈의 내용은 다음과 같습니다.

```
# module1.py
def foo():
    print("foo from module1")
```

```
# module2.py
def bar():
    print("bar from module2")
```

```
# submodule1.py
def sub_foo():
    print("foo from submodule1")
```

패키지 사용하기

패키지를 사용하려면 import 문을 사용해 패키지 내의 특정 모듈을 임포트하거나 패키지 자체를 임포트할 수 있습니다.

```
# main.py
from mypackage import module1, module2
from mypackage.subpackage import submodule1

module1.foo()          # foo from module1
module2.bar()          # bar from module2
submodule1.sub_foo()   # foo from submodule1
```

위 코드는 mypackage 패키지와 subpackage 하위 패키지에서 다양한 모듈을 임포트하고, 각 모듈의 함수를 호출하는 코드입니다.

또는 패키지에서 특정 함수를 직접 불러올 수도 있습니다.

```
# main.py
from mypackage.module1 import foo
from mypackage.module2 import bar

foo()  # foo from module1
bar()  # bar from module2
```

위 코드는 mypackage 패키지의 module1과 module2에서 특정 함수를 임포트하여 사용하는 프로그램입니다.

패키지 내에서 모듈을 가져올 때는 상대 임포트(relative import)를 사용할 수도 있습니다. 상대 임포트는 모듈의 현재 위치를 기준으로 다른 모듈을 임포트하는 방법으로, 특히 패키지 내부의 모듈 간에 서로를 참조할 때 유용합니다. 상대 임포트를 사용할 때는 점(".")을 사용해 현재 위치에서 상대적인 위치를 지정합니다.

- "." : 현재 디렉토리
- ".." : 상위 디렉토리
- "..." : 상위 디렉토리의 상위 디렉토리

아래 코드는 module2 모듈에서 module1 모듈의 foo 함수를 가져와서 사용하는 예입니다.

```
# module2.py
from .module1 import foo          # 상대 임포트

def bar():
    foo()                         # module1 모듈의 foo 함수를 호출
    print(f"bar from module2")
```

main.py에서 module2 모듈의 bar 함수를 호출하면 module2 모듈에 상대 임포트된 module1 모듈의 foo 함수가 함께 호출되어 실행되는 것을 확인할 수 있습니다.

```
# main.py
from mypackage.module2 import bar

bar()

# 실행 결과
# foo from module1
# bar from module2
```

패키지 내의 모든 모듈과 구성 요소를 한 번에 임포트(패키지 전체 임포트)할 때는 패키지의 __init__.py 파일을 설정해 줘야 합니다.

```
# main.py
import mypackage
import mypackage.subpackage

mypackage.foo()
mypackage.bar()
mypackage.subpackage.sub_foo()
```

import mypackage를 사용할 때, mypackage(디렉토리 이름)에는 모듈이나 함수가 포함되어 있지 않으므로, "AttributeError: module 'mypackage' has no attribute OOO" 형식의 오류가 발생합니다. 이를 해결하기 위해서는 mypackage 아래의 __init__.py 파일에 필요한 모듈들을 명시적으로 임포트해 줘야 합니다.

```
# mypackage/__init__.py
from .module1 import foo
from .module2 import bar
```

mypackage.subpackage도 모듈이나 함수가 포함되지 않으므로, "AttributeError: module 'mypackage.subpackage' has no attribute 'sub_foo'" 오류가 발생합니다. 이를 해결하기 위해서는 mypackage.subpackage 아래의 __init__.py 파일에 필요한 모듈들을 명시적으로 임포트해 줘야 합니다.

```
# mypackage/subpackage/__init__.py
from .submodule1 import sub_foo
```

모듈과 패키지 설치

모듈과 패키지는 직접 작성할 수도 있지만, 다른 사람들이 작성한 모듈 패키지를 사용할 수도 있습니다. 이를 위해 파이썬 패키지 인덱스(PyPI, Python Package Index, 파이썬 소프트웨어 패키지의 저장소))에서 모듈과 패키지를 다운로드해 설치할 수 있습니다.

PIP(Python Package Installer)

PIP는 파이썬 패키지를 설치하고 관리하는 도구로, 파이썬 개발자에게 매우 중요한 역할을 합니다. 파이썬 3.4 이상 버전을 설치하면 기본적으로 pip가 함께 설치되며, 설치 여부는 다음 명령어 실행으로 확인할 수 있습니다.

```
pip --version
```

패키지 설치

가장 기본적인 기능으로, pip install 패키지이름 명령을 사용하여 패키지를 설치할 수 있습니다. 예를 들어, requests 패키지를 설치하려면 다음 명령어를 사용합니다.

```
pip install requests
```

특정 버전의 패키지를 설치하려면 패키지 이름 뒤에 ==버전번호를 추가합니다.

```
pip install requests==2.25.1
```

한 번에 여러 패키지를 설치할 경우 pip install 다음에 패키지 이름을 나열합니다.

```
pip install numpy pandas matplotlib
```

패키지 업그레이드

--upgrade 옵션을 이용하여 설치된 패키지를 최신 버전으로 업그레이드할 수 있습니다.

```
pip install --upgrade requests
```

패키지 목록 확인

pip list 명령을 사용하여 현재 설치된 패키지 목록을 확인할 수 있습니다.

```
pip list
```

패키지 정보 확인

pip show 패키지이름 명령을 사용하여 특정 패키지의 정보를 확인할 수 있습니다.

```
pip show requests
```

패키지 제거

pip uninstall 패키지이름 명령을 사용하여 설치된 패키지를 제거할 수 있습니다.

```
pip uninstall requests
```

requirements.txt 파일 사용

requirements.txt 파일은 파이썬 프로젝트에서 필요한 패키지와 그 버전 정보를 명시한 텍스트 파일로, 프로젝트를 배포하거나 다른 개발자와 협업할 때 매우 유용하게 사용됩니다. requirements.txt 파일을 이용하면 프로젝트 환경을 쉽게 재현할 수 있으며, 프로젝트에 필요한 모든 패키지를 한 번에 쉽게 설치할 수 있습니다.

```
requests==2.25.1
numpy>=1.18.5
pandas
```

pip install 명령에 -r 옵션을 사용해 requirements.txt 파일에 명시된 패키지를 일괄적으로 설치할 수 있습니다.

```
pip install -r requirements.txt
```

패키지 캐시 관리

설치된 패키지의 캐시를 관리할 수 있습니다. 예를 들어, 캐시를 지우려면 pip cache purge 명령을 사용합니다.

```
pip cache purge
```

로컬 패키지 설치

로컬에 있는 패키지를 설치할 수도 있습니다.

```
pip install ./path/to/package
```

특정 파이썬 인터프리터 사용

여러 버전의 파이썬이 설치된 경우, 특정 파이썬 인터프리터에서 PIP를 사용할 수 있습니다.

```
python3.8 -m pip install requests
```

가상환경에서 패키지 관리

PIP는 가상환경 내에서 패키지를 관리하는 데 유용합니다. 가상환경은 프로젝트별로 독립적인 패키지 설치 공간을 제공해 패키지 간의 충돌을 방지하고, 특정 프로젝트에 필요한 패키지 버전을 관리할 수 있습니다.

가상환경 생성

venv 모듈을 이용해 가상환경을 생성합니다. venv 모듈은 파이썬 3.3 이후 버전에서 기본적으로 제공됩니다.

venv 모듈을 사용해 myenv 이름의 가상환경을 생성합니다.

```
python -m venv myenv
```

가상환경 활성화

가상환경이 생성되면 activate 명령어를 이용해 가상환경을 활성화합니다. activate 명령어의 위치는 운영체제 마다 상이하므로 확인이 필요하며, 프롬프트에 가상환경 이름이 표시되는 것으로 가상환경 활성화 여부를 확인할 수 있습니다.

```
myenv\Scripts\activate          # Windows 환경
source myenv/bin/activate       # macOS/Linux 환경
```

가상환경 비활성화

작업을 마친 후 deactivate 명령을 사용해 가상환경을 비활성화합니다.

```
deactivate
```

가상환경에서 패키지 설치

가상환경을 활성화한 상태에서 pip을 사용하여 패키지를 설치할 수 있습니다. 이때 설치된 패키지는 가상환경 내에만 존재하게 됩니다.

requirements.txt 파일 사용

프로젝트에서 필요한 패키지를 requirements.txt 파일로 관리할 수 있습니다.

pip freeze 명령을 이용해 현재 가상환경에 설치된 패키지를 requirements.txt 파일로
저장합니다.

```
pip freeze > requirements.txt
```

새로운 가상환경에서 requirements.txt 파일을 사용하여 패키지를 설치합니다.

```
pip install -r requirements.txt
```

가상환경 삭제

가상환경을 삭제하려면 해당 가상환경 디렉토리를 삭제하면 됩니다.

```
rmdir /s /q myenv          # Windows
rm -rf myenv               # macOS/Linux
```

패키지 배포

파이썬 패키지 배포는 파이썬 코드와 관련 파일들을 다른 사용자들이 쉽게 설치하고
사용할 수 있도록 패키지 형태로 배포하는 과정으로, 패키지 준비, 빌드, 테스트, 배포
단계로 나눌 수 있습니다.

패키지 구조 설계

패키지를 배포하려면 먼저 패키지의 구조를 설정해야 합니다. 일반적으로 다음과 같은 디렉토리 구조를 따릅니다.

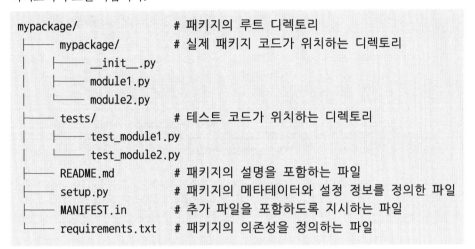

```
mypackage/                  # 패키지의 루트 디렉토리
├──    mypackage/           # 실제 패키지 코드가 위치하는 디렉토리
│      ├──  __init__.py
│      ├──  module1.py
│      └──  module2.py
├──    tests/               # 테스트 코드가 위치하는 디렉토리
│      ├──  test_module1.py
│      └──  test_module2.py
├──    README.md            # 패키지의 설명을 포함하는 파일
├──    setup.py             # 패키지의 메타데이터와 설정 정보를 정의한 파일
├──    MANIFEST.in          # 추가 파일을 포함하도록 지시하는 파일
└──    requirements.txt     # 패키지의 의존성을 정의하는 파일
```

setup.py 파일 작성

setup.py 파일은 파이썬 패키지를 배포하기 위해 사용하는 설정 파일입니다. 이 파일은 패키지의 메타데이터와 설치 정보를 포함하며, setuptools 모듈을 이용해 패키지를 빌드하고 배포하는 데 사용됩니다.

다음은 setup.py 파일의 기본 예시입니다.

```python
# setup.py
from setuptools import setup, find_packages

setup(
    name='mypackage',              # 패키지 이름 (PyPI 등록에 사용)
    version='0.1.0',               # 패키지 버전 (주.부.수 형식)
    packages=find_packages(),      # 패키지 목록 지정
    install_requires=[             # 패키지가 의존하는 외부 패키지
```

```python
        "requests>=2.25.1",
        "numpy>=1.19.5",
    ],
    extras_require={                # 선택적 종속성을 정의
        "dev": [                    # 개발 환경에 필요한 패키지 명시
            "pytest>=6.2.2",
            "black>=20.8b1"
        ],
    },
    entry_points={
        "console_scripts": [        # 콘솔 스크립트
            "mycommand=mypackage.module:main_function",
        ],
    },
    include_package_data=True,      # 패키지에 포함된 데이터 설치 여부
    package_data={                  # 패키지에 포함될 추가 파일 정의
        "": ["*.txt", "*.rst"],     # 모든 패키지에 포함될 파일 형식
        "mypackage": ["data/*.dat"],  # 특정 패키지에 포함될 파일
    },
    data_files=[                    # 설치할 때 포함할 추가 파일 정의
        ("my_data", ["data/data_file"])
    ],
    author="홍길동",                 # 패키지 작성자
    author_email="hong@example.com",  # 작성자 이메일
    description="패키지 설명",        # 패키지 간단한 설명
    long_description=open('README.md').read(),
                                    # 패키지 자세한 설명
                                    #(README.md 파일에서 읽어서 사용)
    long_description_content_type="text/markdown",
                                    # long_description의 컨텐츠 타입
    url="https://github.com/username/mypackage",
                                    # 패키지 홈 페이지 URL
    classifiers=[                   # 패키지 분류 정보
        "Programming Language :: Python :: 3",    # 지원하는 파이썬 버전
        "License :: OSI Approved :: MIT License", # 라이선스 정보
        "Operating System :: OS Independent",     # 운영체제 독립 여부
```

```
    ],
    python_requires='>=3.6',              # 패키지가 지원하는 파이썬 버전
)
```

MANEFEST.in 파일 작성

MANIFEST.in 파일은 추가 파일을 패키지에 포함하도록 지시합니다. 다음은
MANIFEST.in 파일의 예시입니다:

```
include README.md
include requirements.txt
recursive-include mypackage/data *
```

패키지 빌드

패키지를 빌드해 배포 가능한 형식으로 만듭니다. 패키지 빌드는 setuptools와 wheel
패키지를 사용하며, 아래 명령으로 설치하고 빌드할 수 있습니다.

```
pip install setuptools wheel
python setup.py sdist bdist_wheel
```

위 명령어는 sdist(Source Distribution, 소스 배포판) 형식과 bdist_wheel(Wheel
Distribution, 바이너리 배포판) 형식의 배포 파일을 생성하며, 빌드된 파일은 dist/
디렉토리에 생성됩니다.

패키지 테스트

패키지를 배포하기 전에 로컬 환경에서 테스트해 문제가 없는지 확인합니다.

빌드된 패키지를 로컬 환경에 설치해 제대로 설치되고 동작하는지 확인합니다.

```
pip install .
```

설치 후 테스트 코드를 실행합니다. pytest를 사용해 테스트를 자동화할 수 있습니다.

```
pytest
```

패키지 배포

twine 패키지를 사용해 패키지를 PyPI(Python Package Index)에 업로드합니다.

twine을 설치하고 패키지를 업로드합니다. twine은 파이썬 패키지를 PyPI(Python Package Index)에 업로드하는 데 사용되는 도구로, twine을 사용하면 패키지를 업로드하는 과정이 간편해지고, 더 안전하게 처리할 수 있습니다.

```
pip install twine
twine upload dist/*
```

배포 후 확인

배포가 완료되면 PyPI 웹 사이트에서 패키지 페이지를 확인하여 모든 정보가 올바르게 표시되는지 확인합니다. 또한 다른 환경에서 패키지를 설치해 보고 문제가 없는지 확인합니다.

6장 파일

Flat is better than nested.

파일 입출력은 프로그램이 파일을 읽고 쓰는 기능을 의미합니다. 파이썬에서는 파일
입출력을 위해 내장 함수인 open()을 주로 사용합니다. 여기서는 파일을 열고, 읽고,
쓰고, 닫는 방법을 포함하여 파일 입출력에 대해 알아 보겠습니다.

파일 열기

파일을 여는 과정은 파이썬에서 파일 입출력의 첫 번째 단계입니다. open() 함수를 사용하여 파일을 열면 파일 객체가 반환되며, 이 파일 객체를 통해 파일에 대한 다양한 작업을 수행할 수 있습니다.

open() 함수 기본 문법

```
file_object = open(file_name, mode, buffering, encoding, errors, newline,
closefd, opener)
```

- file_name : 열 파일의 이름을 나타내는 문자열.
- mode : 파일을 열 때 사용할 모드. 기본값은 읽기 모드('r').
- buffering : 버퍼링 정책을 설정. 0(버퍼링 없음), 1(줄 버퍼링), 양의 정수(버퍼 크기).
- encoding : 파일 인코딩 형식(예: 'utf-8').
- errors : 인코딩/디코딩 오류 처리 방식(예: 'ignore', 'replace').
- newline : 줄바꿈 문자를 다루는 방법.
- closefd : 파일 디스크립터를 닫을지 여부.
- opener : 사용자 정의 오프너를 지정할 수 있는 함수.

파일 모드

mode 인수는 파일을 열 때 사용되는 모드를 지정하며, 주로 사용되는 모드는 다음과 같습니다:

- r (읽기 모드) : 기본 모드로, 파일을 읽기 전용으로 엽니다. 파일이 존재하지 않으면 FileNotFoundError 예외가 발생합니다.
- w (쓰기 모드) : 파일을 쓰기 전용으로 엽니다. 파일이 이미 존재하면 기존 내용을 삭제하고 새로 작성하고, 파일이 존재하지 않으면 새 파일을 생성합니다.

- a (추가 모드) : 파일을 추가 모드로 엽니다. 파일이 이미 존재하면 기존 내용에 데이터를 추가하고, 파일이 존재하지 않으면 새 파일을 생성합니다.

- x (배타적 생성 모드) : 파일을 생성하고 쓰기 모드로 엽니다. 파일이 이미 존재하면 FileExistsError 예외가 발생합니다.

- b (바이너리 모드) : 텍스트 파일이 아닌 바이너리 파일을 읽거나 쓸 때 사용합니다. 바이너리 모드는 다른 모드 인수와 결합해서 사용합니다.

- t (텍스트 모드) : 기본값으로 텍스트 파일을 읽거나 쓸 때 사용합니다.

- + (읽기 및 쓰기 모드) : 파일을 읽기와 쓰기 모두 가능하도록 설정합니다. + 모드를 사용하면 파일을 열어서 기존 내용을 읽어오고, 그 내용을 바탕으로 새 데이터를 쓰는 작업을 동시에 할 수 있습니다. + 모드는 다른 모드 인수와 결합해서 사용합니다.

```python
# 읽기 모드로 파일 열기
file = open('example.txt', 'r')

# 쓰기 모드로 파일 열기
file = open('example.txt', 'w')

# 추가 모드로 파일 열기
file = open('example.txt', 'a')

# 바이너리 읽기 모드로 파일 열기
file = open('example.jpg', 'rb')

# 바이너리 쓰기 모드로 파일 열기
file = open('example.jpg', 'wb')

# 읽기 및 쓰기 모드로 파일 열기
file = open('example.txt', 'r+')

# 텍스트 읽기 모드로 파일 열기 (기본 모드)
file = open('example.txt', 'rt')
```

```
# 바이너리 읽기 및 쓰기 모드로 파일 열기
file = open('example.jpg', 'r+b')
```

파일 인코딩

텍스트 파일을 열 때는 encoding 인수를 사용하여 파일의 인코딩 형식을 지정할 수 있습니다. 기본적으로 파이썬은 시스템의 기본 인코딩을 사용하지만, UTF-8과 같은 특정 인코딩을 명시적으로 지정할 수 있습니다.

```
# UTF-8 인코딩으로 파일 열기
file = open('example.txt', 'r', encoding='utf-8')
```

파일 열기와 닫기

파일을 열 때는 open() 함수를 사용하고, 파일을 다 사용한 후에는 close() 메서드를 호출하여 파일을 닫아야 합니다. 파일을 닫지 않으면 메모리 누수나 파일 손상 등의 문제가 발생할 수 있습니다.

with 문을 사용하여 파일을 열면 with 블록을 벗어날 때 파일을 자동으로 닫을 수 있습니다. 이는 코드의 가독성을 높이고 예외 발생 시에도 파일이 제대로 닫히는 것을 보장하므로 사용을 권장합니다.

```
# with 문을 사용하여 파일 열기
with open('example.txt', 'r') as file:
    content = file.read()
    print(content)

# 파일은 with 블록을 벗어날 때 자동으로 닫힙니다
```

예외 처리

파일을 여는 동안 예외가 발생할 수 있습니다. 예를 들어, 파일이 존재하지 않거나 파일을 여는 데 필요한 권한이 없는 경우 예외가 발생합니다. try와 except 블록을 사용하여 이러한 예외를 처리할 수 있습니다.

```python
try:
    with open('example.txt', 'r') as file:
        content = file.read()
        print(content)
except FileNotFoundError:
    print('파일이 존재하지 않습니다.')
except PermissionError:
    print('파일을 열 권한이 없습니다.')
except Exception as e:
    print(f'예상치 못한 오류가 발생했습니다: {e}')
```

파일 읽기

파일을 읽는 방법은 여러 가지가 있으며, 읽는 방식에 따라 효율성과 용도가 다릅니다. 여기서는 open() 함수와 함께 다양한 파일 읽기 메서드를 사용하는 방법을 설명하겠습니다.

read() 메서드

read() 메서드는 파일의 전체 내용을 하나의 문자열로 읽어옵니다. 파일 크기가 작을 때 유용합니다.

```python
with open('example.txt', 'r', encoding='utf-8') as file:
```

```
    content = file.read()
    print(content)
```

부분 읽기

파일 전체가 아닌 일부만 읽을 수도 있습니다. read(size) 메서드를 사용하여 읽을
바이트 수를 지정할 수 있습니다.

```
with open('example.txt', 'r', encoding='utf-8') as file:
    content = file.read(10)  # 처음 10바이트를 읽음
    print(content)
```

readline() 메서드

readline() 메서드는 파일에서 한 줄씩 읽어옵니다. 반복문과 함께 사용하여 파일을 줄
단위로 처리할 때 유용합니다.

```
with open('example.txt', 'r', encoding='utf-8') as file:
    line = file.readline()
    while line:
        # 줄 바꿈 문자가 포함되어 있으므로 end='' 사용
        print(line, end='')
        line = file.readline()
```

readlines() 메서드

readlines() 메서드는 파일의 모든 줄을 읽어 리스트로 반환합니다. 파일의 각 줄이
리스트의 요소로 포함됩니다.

```python
with open('example.txt', 'r', encoding='utf-8') as file:
    lines = file.readlines()
    for line in lines:
        print(line, end='')
```

파일 쓰기

파일 쓰기는 프로그램이 파일에 데이터를 기록하는 작업입니다. 파이썬에서는 파일을 쓰기 모드로 열고 다양한 메서드를 사용하여 데이터를 파일에 쓸 수 있습니다. 여기서는 파일을 열고 쓰는 방법, 파일 모드, 여러 가지 파일 쓰기 메서드, 예외 처리 등을 설명하겠습니다.

파일 쓰기 모드로 열기

파일을 쓰기 위해서는 open() 함수를 사용하여 파일을 쓰기 모드('w', 'a', 'x' 등)로 열어야 합니다.

```python
file = open('example.txt', 'w')
```

write() 메서드

write() 메서드는 문자열을 파일에 씁니다. 파일이 바이너리 모드로 열려 있으면 바이트 객체를 써야 합니다.

```python
with open('example.txt', 'w', encoding='utf-8') as file:
    file.write('Hello, World!\n')
    file.write('This is a test file.\n')
```

writelines() 메서드

writelines() 메서드는 문자열 리스트를 파일에 씁니다. 각 문자열에 줄 바꿈 문자가 포함되어 있어야 합니다.

```
lines = ['First line\n', 'Second line\n', 'Third line\n']
with open('example.txt', 'w', encoding='utf-8') as file:
    file.writelines(lines)
```

파일 닫기

파일 닫기는 파일 입출력 작업 후 파일 리소스를 해제하고 시스템 자원을 반환하는 중요한 과정입니다. 파일을 다 사용한 후에는 반드시 파일을 닫아야 합니다. 이를 통해 메모리 누수와 데이터 손상 등의 문제를 방지할 수 있습니다. 파이썬에서는 close() 메서드를 사용하여 파일을 닫을 수 있으며, with 문을 사용하면 파일을 자동으로 닫을 수 있습니다.

파일 닫기의 중요성

자원 관리 : 파일을 열면 운영 체제는 해당 파일에 대한 정보를 유지하고, 파일에 접근할 수 있도록 파일 디스크립터(file descriptor)라는 것을 할당합니다. 파일 디스크립터는 한정된 자원이므로, 파일을 다 사용한 후에는 반드시 닫아 주어야 합니다. 만약 많은 파일을 열고 닫지 않으면, 시스템의 파일 디스크립터가 고갈되어 더 이상 파일을 열 수 없는 상황이 발생할 수 있습니다.

데이터 손실 방지 : 파일에 데이터를 쓰는 과정은 운영 체제가 파일 시스템의 효율성을 높이기 위해 데이터를 버퍼(buffer)에 저장한 후, 일정 시점에 실제 디스크에 기록합니다.

파일을 닫지 않으면, 버퍼에 남아있는 데이터가 디스크에 기록되지 않고 손실될 수 있습니다. 파일을 닫는 동작은 이러한 버퍼에 남아있는 데이터를 디스크에 기록(flush)하여 데이터 손실을 방지합니다.

파일 잠금 해제 : 파일이 열려 있는 동안에는 다른 프로세스가 해당 파일에 접근하거나 수정하는 것을 방지하기 위해 잠금(lock)이 걸릴 수 있습니다. 파일을 닫으면 이러한 잠금이 해제되어 다른 프로세스가 파일에 접근하거나 수정할 수 있게 됩니다. 파일을 닫지 않으면, 다른 프로세스가 파일을 사용하려 할 때 문제가 발생할 수 있습니다.

데이터 일관성 유지 : 파일을 닫지 않으면 파일에 대한 변경 사항이 완전히 적용되지 않을 수 있습니다. 이는 특히 데이터베이스와 같이 데이터 일관성이 중요한 시스템에서 문제가 될 수 있습니다. 파일을 닫는 동작은 변경 사항을 완전히 디스크에 기록하고, 데이터 일관성을 유지하는 데 필수적입니다.

메모리 누수 방지 : 파일을 열면 해당 파일의 정보를 메모리에 저장합니다. 파일을 닫지 않으면, 이 메모리가 해제되지 않아 메모리 누수가 발생할 수 있습니다. 이는 장기적으로 시스템의 메모리를 고갈시켜 성능 저하나 시스템 불안정성을 초래할 수 있습니다.

파일 시스템 손상 방지 : 파일이 열려 있는 상태에서 시스템이 예기치 않게 종료되면, 파일 시스템이 손상될 수 있습니다. 파일을 닫으면, 파일 시스템은 해당 파일의 모든 변경 사항을 디스크에 반영하고 파일 시스템의 일관성을 유지합니다. 따라서 파일을 적절히 닫는 것은 파일 시스템의 안정성을 유지하는 데 중요합니다.

close() 메서드 사용

파일을 열고 작업이 끝난 후 close( ) 메서드를 호출하여 파일을 닫습니다.

```python
file = open('example.txt', 'w', encoding='utf-8')
file.write('Hello, World!\n')
file.close()
```

위 예제에서 close( ) 메서드는 파일을 닫고 시스템 자원을 해제합니다. 그러나 파일 작업 도중 예외가 발생하면 close( ) 메서드가 호출되지 않을 수 있습니다.

try와 finally 블록 사용

파일 작업 도중 예외가 발생하더라도 파일을 반드시 닫도록 finally 블록을 사용할 수 있습니다.

```python
file = open('example.txt', 'w', encoding='utf-8')
try:
    file.write('Hello, World!\n')
finally:
    file.close()
```

위 예제에서는 try 블록에서 파일에 데이터를 쓰고, finally 블록에서 파일을 닫습니다. 예외가 발생해도 finally 블록이 실행되므로 파일이 제대로 닫힙니다.

with 문 사용

with 문을 사용하면 파일을 자동으로 닫을 수 있습니다. with 블록을 벗어날 때 파일이 자동으로 닫히므로 예외 처리도 간편해집니다.

```python
with open('example.txt', 'w', encoding='utf-8') as file:
    file.write('Hello, World!\n')
```

with 문을 사용하면 파일을 명시적으로 닫을 필요가 없으며, 코드가 간결해지고 가독성이 높아집니다.

바이너리 파일 읽기와 쓰기

바이너리 파일 읽기와 쓰기는 텍스트 파일과 달리 바이트 단위로 데이터를 처리합니다. 이는 이미지, 오디오, 비디오 파일과 같은 이진 데이터를 다룰 때 주로 사용됩니다. 파이썬에서는 'rb'(읽기)와 'wb'(쓰기) 모드를 사용하여 바이너리 파일을 처리할 수 있습니다.

바이너리 파일 읽기

read() 함수를 이용하여 파일의 전체 내용을 한 번에 읽을 수 있습니다.

```
with open('example.bin', 'rb') as file:
    data = file.read()
    print(data)
```

read(size) 메서드를 사용하여 지정한 바이트 수 만큼만 읽을 수 있습니다.

```
with open('example.bin', 'rb') as file:
    data = file.read(10)  # 처음 10바이트를 읽음
    print(data)
```

반복문을 사용하여 파일을 여러 번에 나누어 읽을 수 있습니다. 예를 들어, 다음 코드는 파일을 1024바이트씩 읽는 방법입니다.

```
with open('example.bin', 'rb') as file:
    chunk_size = 1024
    while True:
        data = file.read(chunk_size)
        if not data:
```

```
            break
    print(data)
```

바이너리 파일 쓰기

write( ) 함수를 사용하여 파일에 데이터를 한 번에 쓸 수 있습니다.

```
data = b'\x89PNG\r\n\x1a\n\x00\x00\x00\rIHDR\x00\x00\x00\x10'
with open('example.bin', 'wb') as file:
    file.write(data)
```

반복문을 사용하여 데이터를 여러 번에 나누어 쓸 수 있습니다.

```
data = [b'First part of the data', b'Second part of the data', b'Third
part of the data']
with open('example.bin', 'wb') as file:
    for chunk in data:
        file.write(chunk)
```

예외 처리

파일 입출력 작업을 수행할 때 예외 처리를 적절하게 구현하는 것은 매우 중요합니다. 예외 처리는 파일이 존재하지 않거나 접근 권한이 없을 때, 읽기나 쓰기 도중 문제가 발생할 때 프로그램이 충돌하지 않고 적절히 대응할 수 있도록 합니다. 여기서는 파일 읽기와 쓰기에서 발생할 수 있는 다양한 예외를 처리하는 방법에 대해 알아 보겠습니다.

파일 읽기 예외 처리

파일을 읽을 때 발생할 수 있는 주요 예외는 다음과 같습니다:

- `FileNotFoundError` : 파일이 존재하지 않을 때 발생합니다.
- `PermissionError` : 파일에 대한 접근 권한이 없을 때 발생합니다.
- `IOError` 또는 `OSError` : 일반적인 입출력 오류가 발생할 때 발생합니다.

```python
file_path = 'example.txt'

try:
    with open(file_path, 'r', encoding='utf-8') as file:
        content = file.read()
        print(content)
except FileNotFoundError:
    print(f'파일 {file_path}이(가) 존재하지 않습니다.')
except PermissionError:
    print(f'파일 {file_path}에 접근할 권한이 없습니다.')
except IOError as e:
    print(f'파일 읽기 중 오류가 발생했습니다: {e}')
```

파일 쓰기 예외 처리

파일을 쓸 때 발생할 수 있는 주요 예외는 다음과 같습니다:

- `PermissionError` : 파일에 대한 쓰기 권한이 없을 때 발생합니다.
- `IOError` 또는 `OSError` : 일반적인 입출력 오류가 발생할 때 발생합니다.

```python
file_path = 'example.txt'
data_to_write = 'Hello, World!\n'

try:
    with open(file_path, 'w', encoding='utf-8') as file:
        file.write(data_to_write)
        print(f'데이터가 파일 {file_path}에 성공적으로 기록되었습니다.')
```

```
except PermissionError:
    print(f'파일 {file_path}에 접근할 권한이 없습니다.')
except IOError as e:
    print(f'파일 쓰기 중 오류가 발생했습니다: {e}')
```

CSV 파일 다루기

CSV(Comma-Separated Values)

CSV 파일은 데이터를 텍스트 형식으로 저장하는 간단한 파일 형식입니다. 각 행은 레코드를 나타내고, 각 열은 쉼표로 구분됩니다. CSV 파일은 스프레드시트 및 데이터베이스와 같은 테이블 형식 데이터를 저장하고 교환하는 데 널리 사용됩니다.

CSV 파일에 첫 번째 행은 선택적으로 열 이름(필드 이름)을 포함할 수 있으며, 나머지 각 행은 하나의 레코드를 나타내며, 쉼표로 구분된 값들을 가집니다.

다음은 학생의 전공 및 성적을 CSV 형식으로 표현한 것으로, 각 학생의 이름, 전공, 과목, 성적을 나타내는 Name, Major, Subject, Grade 열과 12개의 데이터 행이 포함되어 있습니다.

```
Name,Major,Subject,Grade
Alice,Computer Science,Math,A
Alice,Computer Science,Programming,A+
Alice,Computer Science,Data Structures,A-
Bob,Electrical Engineering,Circuits,B+
Bob,Electrical Engineering,Signals and Systems,B
Bob,Electrical Engineering,Electromagnetics,B-
Charlie,Business,Economics,A
Charlie,Business,Management,A-
```

```
Charlie,Business,Marketing,B+
Diana,Biology,Biology,A
Diana,Biology,Chemistry,A-
Diana,Biology,Genetics,B+
```

파이썬에서는 csv 모듈과 pandas 라이브러리를 사용하여 CSV 파일을 쉽게 처리할 수
있습니다.

csv 모듈을 사용한 CSV 파일 읽기 및 쓰기

먼저, csv 모듈을 사용하여 CSV 파일을 읽는 예제입니다.

```python
import csv

# CSV 파일 읽기
with open('example.csv', newline='') as csvfile:
    csvreader = csv.reader(csvfile)

    # 헤더 읽기
    header = next(csvreader)
    print(f'Header: {header}')

    # 데이터 읽기
    for row in csvreader:
        print(row)
```

위 코드에서는 example.csv 파일을 읽고, 첫 번째 줄은 헤더로 처리한 다음 나머지 줄은
데이터로 읽어 출력합니다.

다음은 데이터를 CSV 파일로 저장하는 예제입니다.

```python
import csv

# 데이터를 저장할 리스트
data = [
    ['Name', 'Age', 'City'],
    ['Alice', 30, 'New York'],
    ['Bob', 25, 'Los Angeles'],
    ['Charlie', 35, 'Chicago']
]

# CSV 파일 쓰기
with open('output.csv', 'w', newline='') as csvfile:
    csvwriter = csv.writer(csvfile)

    # 데이터 쓰기
    csvwriter.writerows(data)
```

이 코드는 리스트 형태의 데이터를 output.csv 파일로 저장하며, 생성된 파일은 엑셀 등 다른 스프레드시트 소프트웨어로 쉽게 열어서 확인할 수 있습니다.

pandas 라이브러리 사용하기

pandas는 파이썬에서 데이터 분석을 위해 사용하는 라이브러리로, CSV 파일을 쉽게 읽고 쓸 수 있도록 유용한 기능을 제공합니다. pandas 기능을 사용하기 위해서는 먼저 pandas 라이브러리를 설치해야 합니다.

```
pip install pandas
```

padas.read_csv 함수를 사용해 CSV 파일을 읽을 수 있습니다. 이 함수는 CSV 파일을 읽어 데이터프레임(DataFrame)으로 변환합니다. 데이터프레임은 2차원 데이터 구조로 표 형식의 데이터를 다루는 데 매우 유용합니다.

```
Name,Major,Subject,Grade
Alice,Computer Science,Math,A
Bob,Physics,Physics,B
Charlie,Math,Statistics,A-
David,Chemistry,Chemistry,B+
Eva,Biology,Biology,A
Frank,Computer Science,Programming,A+
Grace,Math,Algebra,B-
Hank,Physics,Quantum Mechanics,B
Ivy,Biology,Genetics,A-
John,Chemistry,Organic Chemistry,B+
```

위 코드는 example.csv 파일을 읽어 데이터프레임으로 저장하고 출력합니다.

example.csv 파일의 내용이 아래와 같을 때 다음과 같은 출력을 확인할 수 있습니다.

example.csv

```
Name,Major,Subject,Grade
Alice,Computer Science,Math,A
Bob,Physics,Physics,B
Charlie,Math,Statistics,A-
David,Chemistry,Chemistry,B+
Eva,Biology,Biology,A
Frank,Computer Science,Programming,A+
Grace,Math,Algebra,B-
Hank,Physics,Quantum Mechanics,B
Ivy,Biology,Genetics,A-
John,Chemistry,Organic Chemistry,B+
```

실행 결과

	Name	Major	Subject	Grade
0	Alice	Computer Science	Math	A
1	Bob	Physics	Physics	B
2	Charlie	Math	Statistics	A-

```
3    David              Chemistry              Chemistry    B+
4      Eva              Biology                  Biology    A
5    Frank    Computer Science              Programming    A+
6    Grace                 Math                  Algebra    B-
7     Hank              Physics      Quantum Mechanics    B
8      Ivy              Biology                 Genetics    A-
9     John              Chemistry    Organic Chemistry    B+
```

read_csv 함수의 다양한 옵션을 사용하면 CSV 파일을 읽는 방식을 세밀하게 조정할 수 있습니다.

- sep : 필드 구분자를 지정합니다. 기본값은 쉼표(,).
- header : 헤더 행의 인덱스를 지정합니다. 기본값은 0 (첫 번째 행).
- names : 열 이름을 리스트로 지정합니다. 파일에 헤더 행이 없는 경우 유용합니다.
- index_col : 인덱스로 사용할 열의 번호나 이름을 지정합니다.
- usecols : 사용할 열을 리스트로 지정합니다.
- dtype : 각 열의 데이터 유형을 사전 형태로 지정합니다.
- na_values : NA/NaN으로 처리할 값들을 리스트로 지정합니다.

다음은 read_csv 함수의 다양한 옵션을 사용해 example.csv 파일을 읽어서 출력하는 예입니다.

```
df = pd.read_csv('example.csv', sep=',', header=0, names=["Name",
"Major", "Subject", "Grade"], index_col="Name")
print(df)
```

다음은 파이썬 데이터를 CSV 파일로 저장하는 예제입니다. 파이썬 데이터를 CSV 파일로 저장하려면 pandas.DataFrame.to_csv 메서드를 사용해야 하며, 이 메서드는 데이터프레임을 CSV 파일로 저장합니다.

```python
import pandas as pd

# 데이터프레임 생성
data = {
    'Name': ['Alice', 'Bob', 'Charlie'],
    'Age': [30, 25, 35],
    'City': ['New York', 'Los Angeles', 'Chicago']
}
df = pd.DataFrame(data)

# CSV 파일 쓰기
df.to_csv('output.csv')
```

to_csv 메서드도 다양한 옵션을 제공하며, 이를 이용하여 CSV 파일 저장을 세밀하게 조정할 수 있습니다.

- sep : 필드 구분자를 지정합니다. 기본값은 쉼표(,).
- index : 인덱스를 CSV 파일에 저장할지 여부를 지정합니다. 기본값은 True.
- header : 열 이름을 CSV 파일에 저장할지 여부를 지정합니다. 기본값은 True.
- columns : CSV 파일에 저장할 열을 리스트로 지정합니다.
- na_rep : NA/NaN 값을 대체할 문자열을 지정합니다.
- float_format : 부동 소수점 숫자의 형식을 지정합니다.
- date_format : 날짜 형식을 지정합니다.

다음은 옵션을 설정해 CSV 파일을 생성하는 예 입니다.

```
# CSV 파일로 저장, 인덱스 포함, 특정 열만 저장
df.to_csv('output.csv', sep=',', index=True, columns=["Name", "Major",
"Math"])
```

csv 모듈은 파이썬 내장 모듈로, 간단한 CSV 파일 읽기/쓰기에 유용하며, pandas 라이브러리는 더 강력한 데이터 분석 도구로, CSV 파일을 데이터프레임으로 읽고 쓰는데 매우 편리합니다. 두 가지 방법 모두 각각의 장점이 있으므로 상황에 맞게 선택해서 사용하면 되겠습니다.

JSON 데이터 처리

JSON(JavaScript Object Notation)

JSON은 인간이 읽기 쉽고 기계가 파싱하고 생성하기 쉬운 데이터 교환 형식입니다. JSON은 자바스크립트 객체 문법을 기반으로 하지만, 대부분의 프로그래밍 언어에서 쉽게 파싱하고 생성할 수 있습니다. JSON은 주로 웹 애플리케이션에서 데이터를 전송하는 데 사용됩니다.

JSON은 객체(Object)와 배열(Array) 두 가지 기본 구조를 가집니다. 객체는 중괄호 {}로 둘러싸여 있으며, 이름/값 쌍의 집합을 포함하고, 배열은 대괄호 []로 둘러싸여 있으며, 값의 순서 있는 목록을 포함합니다.

다음은 JSON 데이터의 예시입니다.

data.json

```
[
```

```
    {
        "id": 1,
        "name": "Laptop",
        "brand": "Samsung",
        "price": 999.15,
        "stock": 10,
        "tags": ["electronics", "computer"],
        "release_date": "2023-01-15"
    },
    {
        "id": 2,
        "name": "Smartphone",
        "brand": "LG",
        "price": 699.54,
        "stock": 12,
        "tags": ["electronics", "mobile"],
        "release_date": "2023-03-22"
    },
    {
        "id": 3,
        "name": "Headphones",
        "brand": "QCY",
        "price": 99.82,
        "stock": 31,
        "tags": ["electronics", "audio"],
        "release_date": "2022-11-05"
    }
]
```

JSON 파일 처리

파이썬에서는 json 모듈을 사용하여 JSON 데이터를 읽고 쓸 수 있습니다.

json.load 함수는 JSON 파일을 읽어서 파이썬 객체로 변환하는 데 사용됩니다. 이 함수는 파일 객체를 인자로 받아 그 내용을 파싱하여 파이썬의 데이터 타입으로 변환합니다. 이 과정에서 JSON의 객체는 파이썬의 딕셔너리(dict)로, JSON의 배열은 파이썬의 리스트(list)로 변환됩니다.

```
import json

# JSON 파일 읽기
with open('data.json', 'r') as file:
    data = json.load(file)

print(data)

# 실행 결과
[{'id': 1, 'name': 'Laptop', 'brand': 'Samsung', 'price': 999.15,
'stock': 10, 'tags': ['electronics', 'computer'], 'release_date':
'2023-01-15'}, {'id': 2, 'name': 'Smartphone', 'brand': 'LG',
'price': 699.54, 'stock': 12, 'tags': ['electronics', 'mobile'],
'release_date': '2023-03-22'}, {'id': 3, 'name': 'Headphones', 'brand':
'QCY', 'price': 99.82, 'stock': 31, 'tags': ['electronics', 'audio'],
'release_date': '2022-11-05'}]
```

먼저, import json 구문을 이용해 json 모듈을 가져옵니다. 이 모듈은 JSON 데이터를 파이썬 데이터 구조로 변환하거나, 파이썬 데이터를 JSON 형식으로 변환하는 데 사용됩니다.

open 함수로 data.json 파일을 읽기 모드('r')로 엽니다. with 문을 사용하여 파일을 열면, 파일을 닫는 작업을 자동으로 처리해줍니다. 즉, 파일을 열고 나서 코드 블록이 끝나면 파일이 자동으로 닫히게 됩니다.

json.load 함수는 열린 파일 객체를 인수로 받아, 파일의 JSON 데이터를 파이썬 데이터 구조(딕셔너리 또는 리스트)로 변환합니다. 여기서 data는 JSON 파일의 내용을 파이썬의 리스트로 변환한 결과입니다.

print 함수로 data를 출력합니다. JSON 파일의 내용이 파이썬 데이터 구조로 변환되어 콘솔에 출력됩니다.

json.load 함수는 다음과 같은 인자를 가질 수 있습니다.

- fp : 파일 객체로, 이 객체는 읽기 모드로 열려 있어야 합니다.
- cls : JSONDecoder의 서브 클래스로, 기본값은 None으로, 표준 JSONDecoder가 사용됩니다.
- object_hook : 딕셔너리 객체를 사용자 정의 객체로 변환하기 위한 함수로, 기본값은 None입니다.
- parse_float : JSON의 실수를 Python의 부동 소수점 숫자로 변환하기 위한 함수로, 기본값은 None입니다.
- parse_int : JSON의 정수를 Python의 정수로 변환하기 위한 함수로, 기본값은 None입니다.
- parse_constant : JSON의 특수 상수를 Python의 상수로 변환하기 위한 함수로, 기본값은 None입니다.
- object_pairs_hook : object_hook과 비슷하지만, 키-값 쌍의 리스트를 사용자 정의 객체로 변환하기 위한 함수로, 기본값은 None입니다.

앞에서 작성한 코드를 JSON 파일을 읽고 다양한 커스터마이징을 적용하여 데이터를 변환한 후 출력하도록 수정해 보겠습니다.

```python
import json
from datetime import datetime

def custom_object_hook(dct):
    if 'PRICE' in dct:
        dct['PRICE'] = f'${dct['PRICE']}'
    if 'RELEASE_DATE' in dct:
        dct['RELEASE_DATE'] = datetime.strptime(dct['RELEASE_DATE'],
```

```
'%Y-%m-%d').strftime('%Y년 %m월 %d일')
    return dct

def custom_object_pairs_hook(pairs):
    return {key.upper(): value for key, value in pairs}

def custom_parse_float(value):
    return round(float(value), 1)

def custom_parse_int(value):
    return int(value) + 100

with open('data.json', 'r') as file:
    data = json.load(
        file,
        object_hook=custom_object_hook,
        parse_float=custom_parse_float,
        parse_int=custom_parse_int,
        object_pairs_hook=custom_object_pairs_hook
    )

for item in data:
    print(item)
```

custom_object_hook

매개 변수 dct는 JSON 객체를 나타내는 딕셔너리로, 해당 딕셔너리에 PRICE 키가 존재하면, 그 값을 문자열로 변환하여 달러 표시를 추가하고, RELEASE_DATE 키가 존재하면, 그 값을 날짜 형식(%Y-%m-%d)에서 읽어와 한국어 날짜 형식(%Y년 %m월 %d일)으로 변환합니다. 변환이 끝나면 딕셔너리를 반환합니다.

custom_object_pairs_hook

매개 변수 pairs는 JSON 객체를 나타내는 키-값 쌍의 리스트로, 모든 키를 대문자로 변환한 딕셔너리를 반환합니다.

custom_parse_float, custom_parse_int

매개 변수 value는 JSON에서 읽어온 숫자 문자열입니다. custom_parse_float 함수는 이 값을 float로 변환한 후 소수점 첫째 자리까지 반올림하여 반환하고, custom_parse_int 함수는 이 값을 int로 변환한 후 100을 더하여 반환합니다.

object_hook와 object_pairs_hook 인자는 JSON 데이터를 파이썬 객체로 변환할 때 사용됩니다. 즉, parse_int와 parse_float가 먼저 실행되고, 그 결과로 만들어진 딕셔너리에 대해 object_hook와 object_pairs_hook가 호출되게 됩니다.

실행 결과는 다음과 같습니다.

```
{'ID': 101, 'NAME': 'Laptop', 'BRAND': 'Samsung', 'PRICE': 999.1,
'STOCK': 110, 'TAGS': ['electronics', 'computer'], 'RELEASE_DATE':
'2023-01-15'}
{'ID': 102, 'NAME': 'Smartphone', 'BRAND': 'LG', 'PRICE': 699.5, 'STOCK':
112, 'TAGS': ['electronics', 'mobile'], 'RELEASE_DATE': '2023-03-22'}
{'ID': 103, 'NAME': 'Headphones', 'BRAND': 'QCY', 'PRICE': 99.8, 'STOCK':
131, 'TAGS': ['electronics', 'audio'], 'RELEASE_DATE': '2022-11-05'}
```

다음은 파이썬 객체 데이터를 JSON 파일에 저장하는 코드입니다. json 모듈의 dump 함수를 이용하면 파이썬 객체를 JSON 형식으로 변환하여 파일에 저장할 수 있습니다.

```python
import json

# 데이터 생성
data = {
    "name": "John Doe",
    "age": 30,
    "isStudent": False,
    "courses": ["Math", "Science", "History"],
```

```
    "address": {
        "street": "123 Main St",
        "city": "Anytown",
        "postalCode": "12345"
    }
}

# JSON 파일 쓰기
with open('output.json', 'w') as file:
    json.dump(data, file, indent=4)
```

json.dump 함수는 JSON 데이터를 저장할 때 예제 코드의 indent와 같은 다양한 옵션을
제공합니다.

- skipkeys : True로 설정하면, JSON으로 직렬화할 수 없는 키를 가진 딕셔너리
  항목을 건너뜁니다. 기본값은 False입니다.
- ensure_ascii : True로 설정하면, 모든 비ASCII 문자를 \u 이스케이프
  시퀀스로 출력합니다. 기본값은 True입니다.
- check_circular : True로 설정하면, 순환 참조를 확인하여 방지합니다.
  기본값은 True입니다.
- allow_nan : True로 설정하면, NaN, Infinity, -Infinity를 JSON 표준에
  맞지 않게 null로 변환하지 않고 그대로 출력합니다. 기본값은 True입니다.
- cls : 사용자 정의 JSONEncoder 서브클래스를 지정할 수 있습니다.
- indent : JSON 파일을 사람이 읽기 쉽게 들여쓰기(indent)합니다. 숫자를
  지정하면 해당 숫자만큼 공백을 사용하여 들여쓰기 합니다.
- separators : 항목을 구분할 때 사용할 문자열을 지정합니다. 기본값은 (',',
  ': ')입니다.
- default : JSON으로 직렬화할 수 없는 객체를 처리하기 위한 함수입니다.
- sort_keys : True로 설정하면, JSON 객체의 키가 알파벳 순서로 정렬됩니다.
  기본값은 False입니다.

JSON 데이터 처리

JSON 데이터를 처리하는 데 사용할 수 있는 몇 가지 유용한 메서드를 소개합니다:

- `json.load(file)` : JSON 파일을 읽어서 파이썬 객체로 변환합니다.
- `json.loads(json_string)` : JSON 문자열을 파이썬 객체로 변환합니다.
- `json.dump(data, file, indent=4)` : 파이썬 객체를 JSON 형식으로 변환하여 파일에 씁니다.
- `json.dumps(data, indent=4)` : 파이썬 객체를 JSON 문자열로 변환합니다.

다음은 JSON 문자열을 파싱하고 조작하는 예제입니다.

```python
import json

# JSON 문자열
json_string = '''
{
    "name": "John Doe",
    "age": 30,
    "isStudent": false,
    "courses": ["Math", "Science", "History"],
    "address": {
        "street": "123 Main St",
        "city": "Anytown",
        "postalCode": "12345"
    }
}
'''

# JSON 문자열을 파이썬 객체로 변환
data = json.loads(json_string)
print("### 데이터 조작 전")
```

```
print(data)

# 데이터 조작
data['age'] = 31
data['courses'].append('Art')

# 파이썬 객체를 JSON 문자열로 변환
json_string = json.dumps(data, indent=4)
print("### 데이터 조작 후")
print(json_string)
```

이 예제에서는 JSON 문자열을 파싱하여 파이썬 객체로 변환하고, 데이터를 조작한 후 다시 JSON 문자열로 변환하여 출력합니다. 실행 결과는 다음과 같습니다.

```
### 데이터 조작 전
{'name': 'John Doe', 'age': 30, 'isStudent': False, 'courses': ['Math',
'Science', 'History'], 'address': {'street': '123 Main St', 'city':
'Anytown', 'postalCode': '12345'}}
### 데이터 조작 후
{
    "name": "John Doe",
    "age": 31,
    "isStudent": false,
    "courses": [
        "Math",
        "Science",
        "History",
        "Art"
    ],
    "address": {
        "street": "123 Main St",
        "city": "Anytown",
        "postalCode": "12345"
    }
```

```
}
```

7장 예외

Errors should never pass silently.

이 장에서는 파이썬 프로그래밍에서 필수적으로 알아야 할 예외 처리에 대해 다룹니다. 예외는 프로그램 실행 중에 발생할 수 있는 오류 상황을 의미하며, 이를 적절히 처리하지 않으면 프로그램이 비정상적으로 종료될 수 있습니다. 이 장에서는 예외의 기본 개념부터 시작하여, 파이썬에서 제공하는 다양한 예외 타입과 이를 처리하는 방법을 배웁니다. 또한, 사용자 정의 예외를 만들어 특정 상황에 맞게 예외를 처리하는 방법을 설명합니다.

예외와 오류

예외(Exception)와 오류(Error)는 프로그램 실행 중에 발생할 수 있는 문제 상황을 나타내는 두 가지 중요한 개념입니다. 이 둘은 종종 혼용되지만, 근본적인 차이가 있으며, 파이썬에서 사용되는 주요 예외와 오류의 종류도 다릅니다.

오류(Error)

오류는 프로그램에서 예측하지 못한 상태로 인해 발생하며, 대개 복구할 수 없는 심각한 문제를 의미합니다. 하드웨어 고장, 메모리 부족, 시스템 자원 부족 등 시스템 수준에서 발생하는 경우가 많으며, SyntaxError, MemoryError, SystemError 등이 있습니다.

예외(Exception):

예외는 프로그램 코드에서 발생하는 문제로, 개발자가 처리할 수 있는 상황을 의미합니다. 잘못된 사용자 입력, 파일 찾기 실패, 네트워크 연결 문제 등 예측 가능한 문제들로 인해 발생되며, 적절한 예외 처리 코드를 이용해 프로그램이 계속 실행되게 할 수 있습니다. ValueError, KeyError, IndexError 등을 예로 들 수 있습니다.

파이썬에서의 예외와 오류 종류

파이썬에서 예외와 오류의 종류는 매우 다양하며, 각각의 오류는 특정한 상황에서 발생합니다.

파이썬 기본 오류와 예외 종류

```
# SyntaxError: 잘못된 문법으로 인해 발생
print("Hello World"
```

```python
# IndentationError: 들여쓰기가 잘못되었을 때 발생
def func():
print("Hello")

# TypeError: 데이터 타입이 맞지 않을 때 발생
result = '2' + 2

# NameError: 존재하지 않는 변수를 참조할 때 발생
print(undeclared_variable)

# ValueError: 값이 적절하지 않을 때 발생
int('abc')

# IndexError: 리스트 인덱스가 범위를 벗어날 때 발생
my_list = [1, 2, 3]
print(my_list[5])

# KeyError: 딕셔너리에서 존재하지 않는 키를 참조할 때 발생
my_dict = {'a': 1}
print(my_dict['b'])

# AttributeError: 객체에 존재하지 않는 속성에 접근할 때 발생
'hello'.foo()

# ImportError: 모듈을 찾을 수 없을 때 발생
import non_existent_module
# ModuleNotFoundError: ImportError의 서브클래스로, 모듈이 없을 때 발생
(파이썬 3.6+)
import non_existent_module

# FileNotFoundError: 파일이 존재하지 않을 때 발생
with open('non_existent_file.txt') as file:
    content = file.read()  # 파일이 존재하지 않음

# IOError: 입출력 작업에서 발생 (파이썬 3에서는 OSError로 통합)
```

```python
with open('non_existent_file.txt') as file:
    content = file.read()

# ZeroDivisionError: 숫자를 0으로 나누려고 할 때 발생
result = 10 / 0

# OverflowError: 숫자 연산 결과가 너무 커서 처리할 수 없을 때 발생
import math
print(math.exp(1000))

# MemoryError: 메모리가 부족할 때 발생
a = [1] * (10**10)

# RecursionError: 재귀 함수 호출이 너무 깊어질 때 발생
def recursive_function():
    return recursive_function()
recursive_function()
```

예외 클래스 계층 구조

파이썬의 예외 클래스 계층 구조는 예외 처리를 체계적으로 관리하기 위해 설계되었습니다. 예외 계층 구조를 이해하면 특정 예외를 포착하고 처리하는 데 도움이 됩니다.

BaseException은 모든 예외 클래스의 최상위 클래스입니다. 직접적으로 사용되는 경우는 드물며, 대부분의 예외는 이 클래스를 상속하는 하위 클래스들에서 발생합니다.

```
BaseException
├── SystemExit          # sys.exit()가 호출될 때
├── KeyboardInterrupt   # 사용자가 Ctrl+C로 프로그램을 중단할 때
├── GeneratorExit       # 제너레이터의 close() 메서드가 호출될 때
└── Exception           # 처리 가능한 일반적인 예외
```

대부분의 예외는 Exception 클래스를 상속합니다. Exception 클래스는 프로그래머가
처리할 수 있는 일반적인 예외를 나타냅니다.

```
Exception
├── ArithmeticError        # 모든 산술 오류의 기본 클래스
│   ├── FloatingPointError  # 부동 소수점 연산 오류
│   ├── OverflowError       # 산술 연산 결과가 커서 표현할 수 없을 때
│   └── ZeroDivisionError   # 0으로 나누기를 시도할 때
├── AssertionError         # assert 문이 실패할 때
├── AttributeError         # 객체에 존재하지 않는 속성에 접근할 때
├── BufferError            # 버퍼 관련 오류가 발생할 때
├── EOFError               # 입력 함수가 EOF를 만났을 때
├── ImportError            # 모듈을 찾을 수 없거나 불러올 수 없을 때
│   └── ModuleNotFoundError # 특정 모듈이 발견되지 않을 때 (3.6+)
├── LookupError            # 모든 조회 오류의 기본 클래스
│   ├── IndexError          # 시퀀스 인덱스가 범위를 벗어날 때
│   └── KeyError            # 딕셔너리에 존재하지 않는 키를 접근할 때
├── MemoryError            # 메모리가 부족할 때
├── NameError              # 지역 또는 전역 이름을 찾을 수 없을 때
│   └── UnboundLocalError   # 값이 할당되지 않은 지역변수를 참조할 때
├── OSError                # 운영체제 관련 오류의 기본 클래스
│   ├── BlockingIOError     # 비차단 작업이 블록될 때
│   ├── ChildProcessError   # 자식 프로세스 관련 오류
│   ├── ConnectionError     # 연결 관련 오류
│   │   ├── BrokenPipeError        # 파이프가 깨졌을 때
│   │   ├── ConnectionAbortedError # 연결이 중단되었을 때
│   │   ├── ConnectionRefusedError # 연결이 거부되었을 때
│   │   └── ConnectionResetError   # 연결이 리셋되었을 때
│   ├── FileExistsError     # 파일이 이미 존재할 때
│   ├── FileNotFoundError   # 파일을 찾을 수 없을 때
│   ├── InterruptedError    # 시스템 호출이 인터럽트될 때
│   ├── IsADirectoryError   # 파일 대신 디렉토리를 참조할 때
│   ├── NotADirectoryError  # 디렉토리 대신 파일을 참조할 때
│   ├── PermissionError     # 작업에 필요한 권한이 없을 때
│   └── TimeoutError        # 시스템 작업이 시간 초과될 때
├── ReferenceError         # 약한 참조가 존재하지 않는 객체를 참조
```

```
├── RuntimeError               # 기타 런타임 오류가 발생할 때
│   ├── NotImplementedError     # 메서드나 함수가 아직 구현되지 않았을 때
│   └── RecursionError          # 재귀 깊이가 너무 깊어질 때
├── StopIteration              # 이터레이터가 항목 미제공 시
├── StopAsyncIteration         # 비동기 이터레이터가 항목 미제공 시
├── SyntaxError                # 문법 오류가 발생할 때
│   └── IndentationError        # 들여쓰기가 잘못되었을 때
│       └── TabError            # 탭과 공백 혼용으로 발생
├── SystemError                # 파이썬 인터프리터 내부 오류
├── TypeError                  # 잘못된 데이터 타입을 사용할 때
├── ValueError                 # 값이 적절하지 않을 때
│   └── UnicodeError            # 유니코드 관련 오류
│       ├── UnicodeDecodeError     # 유니코드 디코딩 오류
│       ├── UnicodeEncodeError     # 유니코드 인코딩 오류
│       └── UnicodeTranslateError  # 유니코드 번역 오류
├── Warning                    # 경고의 기본 클래스
    ├── DeprecationWarning       # 사용 중단 예정 기능에 대한 경고
    ├── PendingDeprecationWarning # 향후 사용 중단 기능에 대한 경고
    ├── RuntimeWarning           # 런타임 경고
    ├── SyntaxWarning            # 문법 경고
    ├── UserWarning              # 사용자 정의 경고
    ├── FutureWarning            # 미래 변경사항에 대한 경고
    └── ImportWarning            # 모듈 임포트 시 발생하는 경고
```

사용자 정의 예외

사용자 정의 예외는 특정 상황에서 발생하는 예외를 더 정확하게 표현하고 처리할 수 있도록 도와줍니다. 파이썬에서는 사용자 정의 예외를 만들기 위해 예외 클래스(Exception 또는 그 하위 클래스)를 상속받아 새로운 예외 클래스를 정의할 수 있습니다.

사용자 정의 예외 클래스 작성

사용자 정의 예외를 만들 때는 다음과 같은 단계가 포함됩니다:

1. 예외 클래스를 정의하고, Exception 클래스를 상속받습니다.
2. 초기화 메서드를 정의하여 필요한 속성을 설정합니다.
3. 예외 메시지를 포함한 메서드를 오버라이드할 수 있습니다 (선택 사항).

```python
class CustomError(Exception):
    pass

def check_value(value):
    if value < 0:
        raise CustomError("Negative value not allowed")

try:
    check_value(-1)
except CustomError as e:
    print(f"Caught an exception: {e}")
```

이 예제에서 CustomError는 단순히 ㅋ을 상속받아 정의되었습니다. check_value 함수는 값이 음수일 때 CustomError를 발생시킵니다.

```python
class CustomError(Exception):
    def __init__(self, message, value):
        super().__init__(message)
        self.value = value

def check_value(value):
    if value < 0:
        raise CustomError("Negative value not allowed", value)

try:
```

```
    check_value(-1)
except CustomError as e:
    print(f"Caught an exception: {e}")
    print(f"Invalid value: {e.value}")
```

이 예제에서는 CustomError가 추가 속성 value를 가집니다. 예외가 발생할 때 이 속성을 통해 추가 정보를 전달할 수 있습니다.

사용자 정의 예외 클래스 계층 구조

사용자 정의 예외 클래스는 계층 구조를 가질 수 있습니다. 이를 통해 예외를 더 체계적으로 관리할 수 있습니다.

```
class ApplicationError(Exception):
    """기본 애플리케이션 예외 클래스"""
    pass

class ValidationError(ApplicationError):
    """유효성 검사 관련 예외 클래스"""
    def __init__(self, message, field):
        super().__init__(message)
        self.field = field

class DatabaseError(ApplicationError):
    """데이터베이스 관련 예외 클래스"""
    pass

def validate_field(field, value):
    if not value:
        raise ValidationError("Value cannot be empty", field)

def connect_to_database(db_url):
    if db_url != "valid_db_url":
```

```
        raise DatabaseError("Failed to connect to the database")

try:
    validate_field("username", "")
except ValidationError as e:
    print(f"Validation error on field '{e.field}': {e}")

try:
    connect_to_database("invalid_db_url")
except DatabaseError as e:
    print(f"Database error: {e}")
```

이 예제에서는 ApplicationError를 기본 클래스로 하여, ValidationError와 DatabaseError를 파생시켰습니다. 각 예외 클래스는 해당하는 문제를 구체적으로 나타냅니다.

사용자 정의 예외 사용의 이점

사용자 정의 예외를 사용하면 특정 상황에 대한 예외를 더 명확하게 표현할 수 있으며, 추가 속성을 통해 예외 발생 시 더 많은 정보를 전달하여 예외가 발생한 이유를 쉽게 설명할 수 있습니다.

예외 처리

파이썬에서 예외 처리(Exception Handling)는 프로그램이 예외 상황을 효과적으로 처리하여 정상적인 흐름을 유지할 수 있도록 도와줍니다. 예외 처리는 try, except, else, finally 블록을 사용하여 수행됩니다.

기본 예외 처리 구조

기본 예외 처리 구조는 다음과 같습니다.

- try 블록 : 예외가 발생할 수 있는 코드를 포함합니다.
- except 블록 : 예외가 발생했을 때 실행되는 코드를 포함합니다.
- else 블록 : 예외가 발생하지 않았을 때 실행되는 코드를 포함합니다.
- finally 블록 : 예외 발생 여부와 관계없이 항상 실행되는 코드를 포함합니다.

```python
try:
    result = 10 / 0
except ZeroDivisionError as e:
    print(f"Error occurred: {e}")
else:
    print("No errors occurred.")
finally:
    print("Execution finished.")
```

이 예제에서는 0으로 나누기를 시도하여 ZeroDivisionError 예외가 발생합니다. except 블록이 실행되고, 그 후에 finally 블록이 실행됩니다.

여러 예외 처리

하나의 try 블록에서 여러 종류의 예외를 처리할 수 있습니다. 각 예외마다 별도의 except 블록을 사용할 수 있습니다.

```python
try:
    value = int(input("Enter a number: "))
    result = 10 / value
except ValueError as ve:
    print(f"ValueError: {ve}")
```

```
except ZeroDivisionError as zde:
    print(f"ZeroDivisionError: {zde}")
else:
    print(f"Result is {result}")
finally:
    print("Execution finished.")
```

이 예제에서는 사용자가 입력한 값이 정수가 아닐 때 ValueError, 입력한 값이 0일 때 ZeroDivisionError가 발생합니다.

예외의 전파

예외가 발생하면 해당 예외를 처리할 except 블록이 없을 경우, 예외는 호출 스택을 거슬러 올라가며 전파됩니다. 최종적으로 처리되지 않은 예외는 프로그램을 종료시키고 예외 메시지를 출력합니다.

```
def function1():
    return function2()

def function2():
    return function3()

def function3():
    return 10 / 0

try:
    function1()
except ZeroDivisionError as e:
    print(f"Caught an exception: {e}")
```

이 예제에서는 function3에서 발생한 ZeroDivisionError가 function1까지 전파되어 최종적으로 try 블록에서 처리됩니다.

사용자 정의 예외 처리

사용자 정의 예외도 try와 except 블록을 사용하여 처리할 수 있습니다.

```python
class NegativeValueError(Exception):
    def __init__(self, value):
        super().__init__(f"Negative value not allowed: {value}")
        self.value = value

def check_value(value):
    if value < 0:
        raise NegativeValueError(value)

try:
    check_value(-5)
except NegativeValueError as e:
    print(f"Caught an exception: {e}")
```

이 예제에서는 음수 값을 처리하지 않기 위해 NegativeValueError 예외를 정의하고, 발생했을 때 이를 except 블록에서 처리합니다.

중첩된 예외 처리

try 블록 내부에 또 다른 try 블록을 중첩하여 사용할 수 있습니다.

```python
try:
    try:
        result = 10 / 0
    except ZeroDivisionError as zde:
        print(f"Inner except caught: {zde}")
        raise  # 예외를 다시 발생시킴
```

```
except ZeroDivisionError as e:
    print(f"Outer except caught: {e}")
```

이 예제에서는 내부 try 블록에서 ZeroDivisionError 예외를 포착하고, 이를 다시
발생시켜 외부 try 블록에서 다시 처리합니다.

예외 정보 접근

예외 객체에는 예외에 대한 추가 정보를 제공하는 속성이 포함되어 있습니다.

```
try:
    result = 10 / 0
except ZeroDivisionError as e:
    print(f"Exception type: {type(e)}")
    print(f"Exception message: {e}")
    print(f"Exception args: {e.args}")
```

이 예제에서는 예외 객체 e의 타입, 메시지, 인수를 출력합니다.

finally 블록

finally 블록은 try 블록 안에서 실행되는 코드에서 예외가 발생하든 안 하든, 또는
발생한 예외가 except 블록에 의해 처리되든 안 되든 상관없이 반드시 실행되어야 하는
코드를 정의하기 위해 사용됩니다. 주로 자원 해제, 파일 닫기, 네트워크 연결 종료 등
예외 발생 여부와 관계없이 항상 수행되어야 하는 작업에 사용됩니다.

프로그램이 실행되는 동안 열려 있는 파일, 네트워크 연결, 데이터베이스 연결 등의
자원을 해제하는 작업은 매우 중요합니다. 이러한 자원을 제대로 해제하지 않으면 자원
누수(leak)가 발생할 수 있고, 이는 시스템 성능에 악영향을 미칠 수 있습니다.

예를 들어, 파일을 열고 작업을 한 후에 예외가 발생하더라도 파일을 반드시 닫아야 합니다. finally 블록을 사용하면 예외 발생 여부와 관계없이 파일을 닫을 수 있습니다.

```python
try:
    file = open("example.txt", "r")
    content = file.read()
except FileNotFoundError as e:
    print(f"File not found: {e}")
finally:
    if file:
        file.close()
    print("File closed.")
```

데이터베이스 작업을 수행하는 동안 예외가 발생하더라도 데이터베이스 연결을 적절하게 종료해야 합니다. 그렇지 않으면 데이터베이스 연결이 지속적으로 열려 있게 되어 시스템 자원을 소모하게 됩니다.

예를 들어, 데이터베이스 연결 내에서 작업을 수행한 후 예외가 발생하더라도 연결을 닫아야 합니다. finally 블록을 사용하면 예외 발생 여부와 관계없이 데이터베이스 연결을 종료하는 코드를 작성할 수 있습니다.

```python
connection = get_database_connection()
try:
    cursor = connection.cursor()
    cursor.execute("SELECT * FROM table_name")
    results = cursor.fetchall()
    # 데이터베이스 작업 수행
except DatabaseError as e:
    print(f"데이터베이스 오류 발생: {e}")
finally:
    connection.close()
```

프로그램의 실행 중에 임시로 변경된 환경 설정이나 전역 변수 등을 원래 상태로 복구해야 할 때 finally 블록을 사용할 수 있습니다.

예를 들어, 디버깅을 위해 로그 레벨을 변경한 후 프로그램이 끝날 때 원래 로그 레벨로 복구할 수 있습니다.

```python
original_log_level = logging.getLogger().getEffectiveLevel()
try:
    logging.getLogger().setLevel(logging.DEBUG)
    # 디버깅 작업 수행
finally:
    logging.getLogger().setLevel(original_log_level)
```

어떤 작업이 끝난 후에 반드시 수행되어야 하는 일반적인 정리 작업을 finally 블록에 포함할 수 있습니다. 이는 메모리 정리, 임시 파일 삭제 등 다양한 작업을 포함할 수 있습니다.

```python
import shutil

temp_dir = "/path/to/temp/dir"
try:
    # 임시 디렉토리에서 작업 수행
finally:
    shutil.rmtree(temp_dir)
```

위의 예시들처럼 finally 블록은 코드의 안정성과 일관성을 유지하는 데 중요한 역할을 합니다. finally 블록을 통해 예외가 발생하더라도 자원을 적절히 해제하고 필요한 정리 작업을 수행할 수 있습니다.

8장 객체 지향 프로그래밍

Special cases aren't special enough to break the rules.

객체 지향 프로그래밍(Object-Oriented Programming, OOP)은 클래스와 객체를 사용하여 코드를 구조화하고 재사용성을 높이는 프로그래밍 패러다임입니다. 객체 지향 프로그래밍의 핵심 개념인 클래스, 객체, 상속, 다형성, 캡슐화 및 추상화를 파이썬에서 어떻게 사용하는지 알아보겠습니다.

객체 지향 프로그래밍의 핵심 개념

- **클래스(Class)** : 객체의 청사진 또는 설계도로, 데이터와 메서드를 정의합니다.
- **객체(Object)** : 클래스로부터 생성된 인스턴스입니다. 객체는 클래스에서 정의한 데이터와 메서드를 가집니다.
- **상속(Inheritance)** : 새로운 클래스가 기존 클래스를 기반으로 정의되는 것을 말합니다. 상속을 통해 코드를 재사용하고 계층 구조를 만들 수 있습니다.
- **다형성(Polymorphism)** : 동일한 인터페이스를 통해 서로 다른 데이터 타입을 다룰 수 있는 능력입니다.
- **캡슐화(Encapsulation)** : 데이터와 메서드를 하나의 단위로 묶고, 외부로부터 데이터의 직접적인 접근을 제한하는 것을 말합니다.
- **추상화(Abstraction)** : 불필요한 세부 사항을 숨기고 중요한 특징만을 노출하는 것을 말합니다.

클래스 (Class)

클래스는 객체를 생성하기 위한 청사진 또는 설계도입니다. 클래스는 데이터(속성)와 행동(메서드)을 정의합니다.

클래스 정의

파이썬에서 클래스는 class 키워드를 사용하여 정의합니다.

```
class Dog:
    species = "Canis familiaris"  # 클래스 변수

    def __init__(self, name, age):
```

```
    self.name = name          # 인스턴스 변수
    self.age = age            # 인스턴스 변수

  def bark(self):             # 메서드
    return f"{self.name} says woof!"
```

클래스 변수

모든 인스턴스가 공유하는 변수로, 클래스 내에서 직접 정의합니다. 예를 들어, species는 모든 Dog 객체가 공유하는 클래스 변수입니다.

인스턴스 변수

각 객체마다 개별적으로 유지되는 변수로, 생성자 메서드 __init__ 내에서 self를 사용하여 정의합니다. 예를 들어, name과 age는 각각의 Dog 객체마다 고유합니다.

메서드

클래스가 가지는 함수로, 객체의 동작을 정의합니다. 예를 들어, bark 메서드는 Dog 객체가 가지는 행동입니다.

생성자(Constructor)

생성자는 객체가 생성될 때 호출되는 메서드로, 객체의 초기화를 담당합니다. 파이썬에서 생성자는 __init__ 메서드로 정의되며, 클래스의 인스턴스가 생성될 때 자동으로 호출됩니다. 생성자는 주로 객체의 속성을 초기화하거나, 초기화 작업을 수행하는 데 사용됩니다.

```
class Person:
  def __init__(self, name, age):
    self.name = name
    self.age = age

  def display_info(self):
```

```
        print(f"Name: {self.name}, Age: {self.age}")

# 객체 생성
person1 = Person("Alice", 30)
person2 = Person("Bob", 25)

# 객체 정보 출력
person1.display_info()  # Name: Alice, Age: 30
person2.display_info()  # Name: Bob, Age: 25
```

위의 예제에서 Person 클래스는 __init__ 생성자를 정의합니다. 생성자는 name과 age 매개변수를 받아 객체의 속성을 초기화합니다. Person 클래스의 인스턴스가 생성될 때마다 __init__ 메서드가 호출되어 해당 객체의 name과 age 속성을 설정합니다.

소멸자(Destructor)

소멸자는 객체가 소멸될 때 호출되는 메서드로, 객체의 정리 작업을 담당합니다. 파이썬에서 소멸자는 __del__ 메서드로 정의되며, 객체가 더 이상 필요하지 않아서 가비지 컬렉터에 의해 메모리가 회수될 때 자동으로 호출됩니다. 소멸자는 주로 파일 닫기, 네트워크 연결 종료 등과 같은 정리 작업을 수행하는 데 사용됩니다.

```
class Person:
    def __init__(self, name, age):
        self.name = name
        self.age = age
        print(f"{self.name} has been created.")

    def __del__(self):
        print(f"{self.name} has been deleted.")

# 객체 생성
person1 = Person("Alice", 30)
```

```
person2 = Person("Bob", 25)

# 객체 삭제
del person1
del person2
```

위의 예제에서 Person 클래스는 __del__ 소멸자를 정의합니다. 소멸자는 객체가 소멸될 때 호출되어 해당 객체의 name 속성을 출력합니다. person1과 person2 객체를 삭제할 때 __del__ 메서드가 호출되어 각각 "Alice has been deleted."와 "Bob has been deleted." 메시지를 출력합니다.

클래스 메서드(Class Method)

클래스 메서드는 클래스 자체를 첫 번째 인수로 받는 메서드입니다. 이는 클래스 변수나 클래스 수준의 속성에 접근하고 수정하는 데 사용됩니다. 클래스 메서드는 클래스 정의 내부에 @classmethod 데코레이터를 사용하여 정의하며, 첫 번째 매개변수로 클래스 자신을 나타내는 cls를 받습니다.

```
class MyClass:
    instance_count = 0
    class_variable = 0

    def __init__(self):
        MyClass.instance_count += 1

    @classmethod
    def get_instance_count(cls):
        return cls.instance_count

    @classmethod
    def increment_class_variable(cls):
        cls.class_variable += 1
```

```python
    @classmethod
    def get_class_variable(cls):
        return cls.class_variable

# 객체 생성
obj1 = MyClass()
obj2 = MyClass()

# 클래스 메서드 호출
print("인스턴스 개수")
print(MyClass.get_instance_count())    # 2
print(obj1.get_instance_count())       # 2
print(obj2.get_instance_count())       # 2

print("클래스 변수 증가 전")
print(MyClass.get_class_variable())    # 0
print(obj1.get_class_variable())       # 0
print(obj2.get_class_variable())       # 0

MyClass.increment_class_variable()
obj1.increment_class_variable()
obj2.increment_class_variable()

print("클래스 변수 증가 후")
print(MyClass.get_class_variable())    # 3
print(obj1.get_class_variable())       # 3
print(obj2.get_class_variable())       # 3
```

위의 예제에서 MyClass는 클래스 변수 instance_count와 class_variable을 가지고 있습니다. __init__ 메서드는 객체가 생성될 때마다 클래스 변수 instance_count를 증가시킵니다. 클래스 메서드 increment_class_variable는 클래스 변수 get_class_variable의 값을 증가시키고, 클래스 메서드 get_instance_count는 클래스 변수 instance_count를, 클래스 메서드 get_class_variable는 클래스 변수 class_variable의 값을

반환합니다. 클래스 메서드는 클래스 이름 또는 객체를 통해서 호출할 수 있으며, 클래스 메서드 호출을 통해서 클래스 변수를 읽거나 수정할 수 있습니다.

클래스 메서드는 종종 대체 생성자를 정의하는 데 사용됩니다. 대체 생성자는 클래스를 인스턴스화하는 다양한 방법을 제공하는 클래스 메서드로 객체를 다양한 형태의 입력으로 생성해야 할 때 유용합니다.

```python
class MyClass:
    def __init__(self, value):
        self.value = value

    @classmethod
    def from_string(cls, string_value):
        # 문자열을 정수로 변환하여 인스턴스 생성
        value = int(string_value)
        return cls(value)

    @classmethod
    def from_list(cls, value_list):
        # 리스트의 합을 사용하여 인스턴스 생성
        value = sum(value_list)
        return cls(value)

    @classmethod
    def from_dict(cls, value_dict, key):
        # 딕셔너리에서 특정 키의 값을 사용하여 인스턴스 생성
        value = value_dict.get(key, 0)
        return cls(value)

# from_string 대체 생성자를 사용하여 인스턴스 생성
obj1 = MyClass.from_string("123")
print(obj1.value)  # 123

# from_list 대체 생성자를 사용하여 인스턴스 생성
```

```python
obj2 = MyClass.from_list([1, 2, 3])
print(obj2.value)  # 6

# from_dict 대체 생성자를 사용하여 인스턴스 생성
obj3 = MyClass.from_dict({'a': 1, 'b': 2}, 'b')
print(obj3.value)  # 2
```

MyClass 클래스는 하나의 인스턴스 변수 value를 가지며, 이를 조기화하는 생성자 __init__ 메서드를 포함합니다. 이 클래스는 세 개의 대체 생성자 from_string, from_list, from_dict를 정의합니다.

기본 생성자(__init__)는 객체가 생성될 때 직접 호출되며, value 매개변수를 받아서 인스턴스 변수 self.value를 초기화합니다.

from_string 클래스 메서드는 문자열을 입력으로 받아 이를 정수로 변환하여 객체를 생성합니다. string_value 매개변수는 문자열 형태의 숫자를 나타내며, int(string_value)를 사용하여 문자열을 정수로 변환한 후, 변환된 값을 value로 사용하여 MyClass의 인스턴스를 생성합니다. cls(value)를 호출하여 새로운 인스턴스를 반환합니다.

from_list 클래스 메서드는 리스트를 입력으로 받아 리스트의 합을 계산하여 객체를 생성합니다. value_list 매개변수는 숫자를 값으로 가지는 리스트를 나타내며, sum(value_list)를 사용하여 리스트 요소의 합을 계산한 후, 계산된 합을 value로 사용하여 MyClass의 인스턴스를 생성합니다. cls(value)를 호출하여 새로운 인스턴스를 반환합니다.

from_dict 클래스 메서드는 딕셔너리를 입력으로 받아 특정 키의 값을 사용하여 객체를 생성합니다. value_dict 매개변수는 딕셔너리를 나타내며, key 매개변수는 딕셔너리에서 값을 가져올 키를 나타냅니다. value_dict.get(key, 0)를 사용하여 키에 해당하는 값을 가져오고, 키가 존재하지 않을 경우 기본값으로 0을 사용합니다. 가져온 값을 value로 사용하여 MyClass의 인스턴스를 생성합니다. cls(value)를 호출하여 새로운 인스턴스를 반환합니다.

대체 생성자는 클래스를 인스턴스화하는 여러 방법을 제공하는 클래스 메서드입니다. 대체 생성자는 클래스를 다양한 입력 형태로 초기화할 수 있도록 도와주며, 복잡한 초기화 논리를 캡슐화하여 코드의 가독성을 높입니다.

정적 메서드 (Static Method)

정적 메서드는 클래스나 인스턴스에 바인딩되지 않은 메서드입니다. 정적 메서드는 첫 번째 인수로 클래스 객체(cls)나 인스턴스 객체(self)를 받지 않습니다. 이는 주로 클래스와 관련이 있지만, 클래스의 상태를 변경하거나 접근할 필요가 없는 메서드를 정의하는 데 사용됩니다. 정적 메서드는 @staticmethod 데코레이터를 사용하여 정의합니다.

```python
class MathOperations:
    @staticmethod
    def add(a, b):
        return a + b

    @staticmethod
    def multiply(a, b):
        return a * b

    @staticmethod
    def is_positive(number):
        return number > 0

result = MathOperations.add(3, 5)
print(result)  # 8

result = MathOperations.multiply(4, 6)
print(result)  # 24
```

```
result = MathOperations.is_positive(10)
print(result)  # True

result = MathOperations.is_positive(-5)
print(result)  # False
```

MathOperations 클래스는 특정 클래스나 인스턴스에 종속되지 않는 유틸리티 메서드 모음을 제공합니다. 각각의 메서드는 클래스의 상태나 인스턴스의 상태와 무관하게 독립적으로 동작하며, 숫자와 관련한 연산 기능을 제공합니다.

add 메서드는 두 개의 숫자 a와 b를 입력받아 그 합을 반환합니다. 이 메서드는 클래스나 인스턴스의 상태와 무관하게 동작하며, 단순히 두 숫자를 더하는 기능을 수행합니다.

multiply 메서드는 두 개의 숫자 a와 b를 입력받아 그 곱을 반환합니다. 이 메서드 역시 클래스나 인스턴스의 상태와 무관하게 독립적으로 동작합니다.

is_positive 메서드는 하나의 숫자 number를 입력받아, 그 숫자가 양수인지 아닌지를 판단하여 True 또는 False를 반환합니다. 이 메서드는 숫자가 양수인지 여부를 확인하는 단순한 논리를 제공합니다.

이러한 메서드들은 클래스의 인스턴스를 생성하지 않고도 호출할 수 있으며, 유틸리티 함수로서 다양한 상황에서 유용하게 사용될 수 있습니다. 정적 메서드를 사용함으로써 코드의 재사용성과 가독성을 높일 수 있으며, 독립적인 기능을 클래스에 논리적으로 그룹화하여 관리할 수 있습니다.

클래스의 특별 메서드 (Special Methods)

파이썬 클래스에는 특별한 역할을 수행하는 메서드들이 있으며, 이러한 메서드들은 더블 언더스코어(__)로 둘러싸여 있어 "더블 언더(double underscore)" 또는 "던더(dunder)" 메서드라고도 합니다. 이 특별 메서드들은 클래스의 인스턴스가 특정 동작을 수행할 때 자동으로 호출되며, 클래스의 다양한 기능을 정의하고 제어하는 데 사용됩니다. 이러한 특별 메서드들은 클래스에 특별한 동작을 부여하거나, 파이썬의 내장 함수 및 연산자와의 상호작용을 가능하게 합니다.

객체 생성과 소멸

- **__new__(cls, ...):** __new__ 메서드는 클래스의 인스턴스를 생성하는 역할을 합니다. 이 메서드는 객체가 메모리에 할당되기 전에 호출되며, 새로운 인스턴스를 반환합니다. __new__ 메서드는 주로 불변 객체(예: 튜플, 문자열)나 메타클래스를 사용할 때 오버라이딩됩니다.
- **__init__(self, ...):** __init__ 메서드는 이미 생성된 인스턴스를 초기화하는 역할을 합니다. 이 메서드는 객체가 생성된 후 호출되어 객체의 초기 상태를 설정합니다. 일반적으로 객체의 속성을 초기화하는 데 사용됩니다.
- **__del__(self):** __del__ 메서드는 소멸자(destructor)로, 객체가 소멸될 때 호출되며, 주로 객체가 사용하던 자원을 해제하는 데 사용됩니다.

```python
class MyClass:
    def __new__(cls, *args, **kwargs):
        print("Calling __new__ method")
        instance = super().__new__(cls)
        return instance

    def __init__(self, value):
        print("Calling __init__ method")
        self.value = value
```

```python
    def __del__(self):
        print(f"Calling __del__ method for instance with value
{self.value}")


obj = MyClass(10)
print(f"Object created with value: {obj.value}")

del obj
print(f"Object deleted")

# 실행 결과
# Calling __new__ method
# Calling __init__ method
# Object created with value: 10
# Calling __del__ method for instance with value 10
# Object deleted
```

객체의 문자열 표현

- **__str__(self):** str() 함수나 print() 함수가 호출될 때 객체의 비공식적인 문자열 표현을 반환합니다. 주로 사용자에게 친숙한 형식으로 객체 정보를 제공하기 위해 사용됩니다.

- **__repr__(self):** repr() 함수나 인터프리터에서 객체를 출력할 때 호출되며, 객체의 공식적인 문자열 표현을 반환합니다. 보통 __repr__은 객체를 복사해서 동일한 객체를 생성할 수 있는 문자열을 반환하도록 구현됩니다.

- 만약 __str__ 메서드가 정의되지 않은 경우, str()와 print()는 __repr__의 반환값을 사용합니다. 따라서 __str__가 정의되지 않았다면 __repr__ 메서드가 대신 호출됩니다.

```python
class Person:
    def __init__(self, name, age):
```

```
        self.name = name
        self.age = age

    def __str__(self):
        return f"Person({self.name}, {self.age})"

    def __repr__(self):
        return f"Person(name='{self.name}', age={self.age})"

p = Person("Alice", 30)
print(p)            # Person(Alice, 30)
print(repr(p))      # Person(name='Alice', age=30)
```

컨테이너 관련 메서드

컨테이너 객체는 리스트, 튜플, 딕셔너리와 같은 객체로, 파이썬의 특별 메서드를 사용하여 커스터마이즈할 수 있습니다.

- **__len__(self)**: len() 함수가 호출될 때 객체의 길이나 크기를 반환합니다.
- **__getitem__(self, key)**: 인덱싱 연산자([ ])를 통해 항목에 접근할 때 호출되면, 주어진 키 또는 인덱스에 해당하는 항목을 반환합니다.
- **__setitem__(self, key, value)**: 인덱싱 연산자([ ])를 통해 항목을 설정할 때 호출되며, 주어진 키 또는 인덱스에 해당하는 항목을 설정합니다.
- **__delitem__(self, key)**: del 연산자를 통해 항목을 삭제할 때 호출되며, 주어진 키 또는 인덱스에 해당하는 항목을 삭제합니다.
- **__contains__(self, item)**: in 연산자를 통해 항목이 컨테이너에 포함되어 있는지 확인할 때 호출되며, 주어진 항목이 컨테이너에 포함되어 있는지를 판단하여 True 또는 False를 반환합니다.

```
class MyList:
    def __init__(self):
```

```python
        self.items = []

    def __len__(self):
        return len(self.items)

    def __getitem__(self, index):
        return self.items[index]

    def __setitem__(self, index, value):
        self.items[index] = value

    def __delitem__(self, index):
        del self.items[index]

    def __contains__(self, item):
        return item in self.items

my_list = MyList()
my_list.items = [1, 2, 3]
print(len(my_list))     # 3
print(my_list[1])       # 2
my_list[1] = 10
print(my_list[1])       # 10
del my_list[1]
print(my_list.items)    # [1, 3]
print(3 in my_list)     # True
print(5 in my_list)     # False
```

반복자 관련 메서드

- **__iter__(self):** 객체가 반복 가능하게 만드는 데 중요한 역할을 합니다. 이 메서드는 객체 자신을 반복자로 반환하거나 별도의 반복자 객체를 반환하며, 반복이 시작될 때 필요한 초기화 작업을 수행합니다.

- **__next__(self)**: next() 함수와 for 루프 등의 반복 구문에서 호출되어, 반복의 각 단계에서 다음 값을 제공합니다. 반복이 끝나면 StopIteration 예외를 발생시켜 반복을 종료합니다.

```python
class MyRange:
    def __init__(self, start, end):
        self.current = start
        self.end = end

    def __iter__(self):
        return self

    def __next__(self):
        if self.current >= self.end:
            raise StopIteration
        current = self.current
        self.current += 1
        return current

my_range = MyRange(1, 5)
for num in my_range:
    print(num)  # 1 2 3 4
```

산술 연산자 오버로딩

파이썬의 특별 메서드를 사용하면 클래스 인스턴스에 대해 산술 연산자를 오버로딩할 수 있습니다. 이러한 메서드는 객체 간의 덧셈, 뺄셈, 곱셈 등의 연산을 정의할 수 있습니다.

- **__add__(self, other)**: + 연산자를 오버로딩합니다.
- **__sub__(self, other)**: - 연산자를 오버로딩합니다.
- **__mul__(self, other)**: * 연산자를 오버로딩합니다.
- **__truediv__(self, other)**: / 연산자를 오버로딩합니다.

- **__floordiv__(self, other):** // 연산자를 오버로딩합니다.

- **__mod__(self, other):** % 연산자를 오버로딩합니다.

- **__pow__(self, other):** ** 연산자를 오버로딩합니다.

```
class Vector:
    def __init__(self, x, y):
        self.x = x
        self.y = y

    def __add__(self, other):
        return Vector(self.x + other.x, self.y + other.y)

    def __sub__(self, other):
        return Vector(self.x - other.x, self.y - other.y)

    def __repr__(self):
        return f"Vector({self.x}, {self.y})"

v1 = Vector(2, 3)
v2 = Vector(5, 7)
print(v1 + v2)  # Vector(7, 10)
print(v1 - v2)  # Vector(-3, -4)
```

비교 연산자 오버로딩

비교 연산자를 오버로딩하면 클래스 인스턴스 간의 크기 비교를 정의할 수 있습니다.

- **__eq__(self, other):** == 연산자를 오버로딩합니다.

- **__ne__(self, other):** != 연산자를 오버로딩합니다.

- **__lt__(self, other):** 〈 연산자를 오버로딩합니다.

- **__le__(self, other):** 〈= 연산자를 오버로딩합니다.

- **__gt__(self, other):** 〉 연산자를 오버로딩합니다.

- **__ge__(self, other)**: >= 연산자를 오버로딩합니다.

```python
class Person:
    def __init__(self, name, age):
        self.name = name
        self.age = age

    def __eq__(self, other):
        return self.age == other.age

    def __lt__(self, other):
        return self.age < other.age

p1 = Person("Alice", 30)
p2 = Person("Bob", 25)
p3 = Person("Charlie", 30)

print(p1 == p3)   # True
print(p1 < p2)    # False
print(p2 < p1)    # True
```

함수 호출 오버로딩

- **__call__(self, *args, **kwargs)**: 객체를 함수처럼 호출할 수 있도록 합니다. 이 메서드를 정의하면 객체가 함수처럼 호출될 때 특정 동작을 수행할 수 있습니다.

```python
class Adder:
    def __init__(self, value):
        self.value = value

    def __call__(self, x):
        return self.value + x
```

```
add_five = Adder(5)
print(add_five(10))  # 15
```

컨텍스트 관리 프로토콜

컨텍스트 관리 프로토콜을 구현하면 with 문을 사용하여 객체의 진입과 종료 시점을
관리할 수 있습니다.

- **__enter__(self):** __enter__ 메서드는 컨텍스트 관리 프로토콜의 일부로,
  주로 with 문과 함께 사용됩니다. with 문은 자원을 효율적으로 관리하고,
  코드의 가독성을 높이는 데 도움을 줍니다. __enter__ 메서드는 컨텍스트 관리
  진입 시 호출되며, 자원의 초기화나 설정 작업을 수행합니다.

- **__exit__(self, exc_type, exc_value, traceback):** __exit__ 메서드는
  컨텍스트에서 벗어날 때 호출되며, 자원의 정리나 해제 작업을 수행합니다.

```
class Resource:
    def __enter__(self):
        print("Resource acquired")
        return self

    def __exit__(self, exc_type, exc_value, traceback):
        print("Resource released")

with Resource() as resource:
    print("Using the resource")
# Resource acquired
# Using the resource
# Resource released
```

특별 메서드는 파이썬 클래스의 행동을 정의하고, 다양한 내장 함수와 연산자와 상호작용할 수 있도록 합니다. 이러한 메서드를 적절히 오버로딩하면, 사용자 정의 클래스가 더 자연스럽게 동작하고, 파이썬의 기능과 잘 통합될 수 있습니다. 특별 메서드를 이해하고 활용하면 객체 지향 프로그래밍의 강력한 기능을 활용하여 더욱 강력하고 유연한 코드를 작성할 수 있습니다.

객체 (Object)

객체는 데이터(속성)와 행동(메서드)를 포함하는 소프트웨어 엔티티입니다. 예를 들어, 자동차 객체는 제조사, 모델, 연식 등의 속성을 가지며, 시동을 걸고, 가속하고, 멈추는 등의 행동을 수행할 수 있습니다. 파이썬에서 객체는 특정 클래스의 인스턴스이며, 해당 클래스에서 정의한 모든 속성과 메서드를 상속받습니다.

객체 생성

객체를 생성하기 위해서는 먼저 클래스를 정의해야 합니다. 클래스는 객체의 청사진 또는 설계도 역할을 합니다. 클래스가 정의된 후에는 이를 사용하여 객체를 생성할 수 있습니다.

```python
class Car:
    def __init__(self, make, model, year):
        self.make = make
        self.model = model
        self.year = year

    def start_engine(self):
        print(f"{self.make} {self.model}'s engine started!")
```

```
    def stop_engine(self):
        print(f"{self.make} {self.model}'s engine stopped!")
```

위의 예제에서는 Car 클래스를 정의합니다. 이 클래스는 자동차의 제조사, 모델, 연식을 속성으로 가지며, 시동을 걸고 멈추는 메서드를 정의합니다. __init__ 메서드는 생성자 메서드로, 객체가 생성될 때 호출되어 객체의 속성을 초기화합니다.

```
car1 = Car("Toyota", "Corolla", 2020)
car2 = Car("Honda", "Civic", 2019)
```

위의 예제에서는 Car 클래스를 사용하여 두 개의 객체 car1과 car2를 생성합니다. 각각의 객체는 Toyota Corolla와 Honda Civic이라는 구체적인 자동차를 나타냅니다.

객체 속성과 메서드

객체는 클래스에서 정의한 속성과 메서드를 상속받습니다. 속성은 객체의 상태를 나타내며, 메서드는 객체의 행동을 정의합니다.

객체 변수를 이용해 객체의 속성에 접근하고, 값을 읽거나 수정할 수 있으며, 메서드를 호출하여 정의된 동작을 수행할 수 있습니다.

```
print(car1.make)    # Toyota
print(car2.model)   # Civic

car1.year = 2021
print(car1.year)    # 2021
```

위의 예제에서는 car1 객체의 make 속성과 car2 객체의 model 속성에 접근합니다. 또한, car1 객체의 year 속성을 수정하고, 수정된 값을 출력합니다.

```
car1.start_engine()    # Toyota Corolla's engine started!
car2.stop_engine()     # Honda Civic's engine stopped!
```

위의 예제에서는 car1 객체의 start_engine 메서드와 car2 객체의 stop_engine 메서드를
호출하여 각 객체의 동작을 수행합니다.

상속

클래스 상속은 객체 지향 프로그래밍에서 중요한 개념으로, 기존 클래스를 기반으로
새로운 클래스를 정의할 수 있게 해줍니다. 상속을 통해 코드 재사용성을 높이고, 계층
구조를 통해 프로그램을 더 구조화할 수 있습니다.

기본 개념

상속 관계에서 기존 클래스는 부모 클래스(또는 기본 클래스, 슈퍼 클래스)라고 하며,
새로 정의된 클래스는 자식 클래스(또는 파생 클래스, 서브 클래스)라고 합니다.

부모 클래스는 공통 속성과 메서드를 정의하고, 자식 클래스는 부모 클래스의 모든 속성과
메서드를 상속받아 사용할 수 있습니다. 또한, 자식 클래스는 부모 클래스의 메서드를
재정의(오버라이딩)하거나 확장하여 더 구체적인 기능을 추가할 수 있습니다.

상속 관계를 적용해 동물 예제 코드를 작성해 보겠습니다.

먼저, 모든 동물의 기본이 되는 Animal 클래스를 정의합니다. 이 클래스는 동물의 이름을
저장하는 name 속성과 동물의 소리를 나타내는 speak 메서드를 포함합니다. speak

메서드는 구체적인 동물 클래스에서 재정의되도록 NotImplementedError를 발생시킵니다. 이는 Animal 클래스가 추상 클래스로 사용됨을 의미합니다.

```python
class Animal:
    def __init__(self, name):
        self.name = name

    def speak(self):
        raise NotImplementedError("Subclass must implement abstract
method")
```

Animal 클래스를 상속받아 Dog와 Cat 클래스를 정의합니다. 각 자식 클래스는 speak 메서드를 재정의하여 구체적인 동물 소리를 반환합니다. Dog 클래스는 "woof!" 소리를, Cat 클래스는 "meow!" 소리를 반환하도록 합니다.

```python
class Dog(Animal):
    def speak(self):
        return f"{self.name} says woof!"

class Cat(Animal):
    def speak(self):
        return f"{self.name} says meow!"
```

이제 Dog와 Cat 클래스를 사용하여 객체를 생성하고, 각 객체의 speak 메서드를 호출하여 동물 소리를 출력해봅니다.

```python
dog = Dog("Buddy")
cat = Cat("Whiskers")

print(dog.speak())  # Buddy says woof!
print(cat.speak())  # Whiskers says meow!
```

위의 예제에서 Dog 객체와 Cat 객체는 각각 "Buddy says woof!"와 "Whiskers says meow!"를 출력합니다. 이는 각 자식 클래스가 부모 클래스의 speak 메서드를 재정의한 덕분에 가능한 일입니다.

상속 유형

단일 상속은 하나의 부모 클래스를 상속받는 경우를 말합니다. 앞서 본 예제는 단일 상속의 대표적인 예입니다. Dog와 Cat 클래스는 각각 하나의 부모 클래스 Animal을 상속받고 있습니다.

다중 상속은 두 개 이상의 부모 클래스를 상속받는 경우를 말합니다. 파이썬에서는 다중 상속이 가능하며, 이는 하나의 자식 클래스가 여러 부모 클래스의 속성과 메서드를 상속받을 수 있음을 의미합니다.

```
class Parent1:
    def method1(self):
        return "Method from Parent1"

class Parent2:
    def method2(self):
        return "Method from Parent2"

class Child(Parent1, Parent2):
    pass

child = Child()
print(child.method1())  # Method from Parent1
print(child.method2())  # Method from Parent2
```

위의 예제에서 Child 클래스는 Parent1과 Parent2를 동시에 상속받아 두 부모 클래스의 메서드를 모두 사용할 수 있습니다.

계층 상속은 하나의 부모 클래스가 여러 자식 클래스에게 상속되는 경우를 말합니다. 앞서 본 예제는 계층 상속의 예입니다. Animal 클래스는 여러 자식 클래스(Dog, Cat)에게 상속됩니다.

다단계 상속은 한 클래스가 다른 클래스를 상속받고, 그 클래스가 또 다른 클래스를 상속받는 경우를 의미합니다.

```python
class Grandparent:
    def method1(self):
        return "Method from Grandparent"

class Parent(Grandparent):
    def method2(self):
        return "Method from Parent"

class Child(Parent):
    def method3(self):
        return "Method from Child"

child = Child()
print(child.method1())  # Method from Grandparent
print(child.method2())  # Method from Parent
print(child.method3())  # Method from Child
```

위의 예제에서 Child 클래스는 Parent 클래스를 상속받고, Parent 클래스는 Grandparent 클래스를 상속받습니다. 따라서 Child 클래스는 Grandparent와 Parent 클래스의 메서드를 모두 사용할 수 있습니다.

super() 함수

super() 함수는 자식 클래스에서 부모 클래스의 메서드나 속성을 호출할 때 사용됩니다. 자식 클래스에서 부모 클래스의 메서드를 명시적으로 호출하여, 부모 클래스의 기능을 확장하거나 보완할 수 있으며, 다중 상속 상황에서 **메서드 해석 순서**(Method Resolution Order, MRO)에 따라 올바른 부모 클래스의 메서드를 호출합니다.

```python
class Parent:
    def __init__(self, name):
        self.name = name

    def greet(self):
        print(f"Hello, I am {self.name}")

class Child(Parent):
    def __init__(self, name, age):
        super().__init__(name)
        self.age = age

    def greet(self):
        super().greet()
        print(f"I am {self.age} years old")

child = Child("Alice", 10)
child.greet()

# 실행 결과
# Hello, I am Alice
# I am 10 years old
```

Child 클래스의 __init__ 메서드는 super().__init__(name)을 호출하여 부모 클래스의 __init__ 메서드를 호출하고, name 속성을 초기화합니다. 그리고, 자신의 age 속성을 초기화합니다.

Child 클래스의 greet 메서드는 super().greet()을 호출하여 부모 클래스의 greet 메서드를 호출합니다. 부모 클래스의 greet 메서드가 실행된 후, 추가로 자신의 age 속성을 출력합니다.

```python
class A:
    def method(self):
        print("Method in A")

class B(A):
    def method(self):
        print("Method in B")
        super().method()

class C(A):
    def method(self):
        print("Method in C")
        super().method()

class D(B, C):
    def method(self):
        print("Method in D")
        super().method()

d = D()
d.method()
print(D.mro())

# 실행 결과
# Method in D
# Method in B
# Method in C
# Method in A
# [<class '__main__.D'>, <class '__main__.B'>, <class '__main__.C'>,
<class '__main__.A'>, <class 'object'>]
```

클래스 D는 클래스 B와 C를 상속받고, 클래스 B와 C는 클래스 A를 상속받습니다. 클래스 D의 method 메서드를 호출하면 클래스 D의 MRO에 따라 D → B → C → A → object 순서로 메서드를 탐색합니다. 클래스의 MRO는 클래스의 mro() 메서드 또는 __mro__ 속성을 통해 확인할 수 있습니다.

접근 지정자

파이썬에서는 기본적으로 모든 멤버가 공개(public)되지만, 이름 앞에 밑줄(_)을 하나 또는 두 개 붙여 접근 제한을 암시할 수 있습니다.

공개 멤버 (Public Members): 기본적으로 모든 멤버는 공개 멤버입니다.

비공개 멤버 (Private Members): 이름 앞에 두 개의 밑줄(__)을 붙여 비공개 멤버를 만듭니다. 비공개 멤버는 클래스 외부에서 접근할 수 없습니다.

보호된 멤버 (Protected Members): 이름 앞에 한 개의 밑줄(_)을 붙여 보호된 멤버를 만듭니다. 보호된 멤버는 클래스 외부에서 직접 접근해서는 안 되지만, 자식 클래스에서는 접근할 수 있습니다.

```python
class Animal:
    def __init__(self, name):
        self._name = name                  # 보호된 멤버
        self.__private_attr = "I am private"  # 비공개 멤버

    def get_private_attr(self):
        return self.__private_attr

class Dog(Animal):
    def __init__(self, name, breed):
        super().__init__(name)
        self.breed = breed

    def speak(self):
        return f"{self._name} says woof!"
```

```
dog = Dog("Buddy", "Golden Retriever")
print(dog.speak())            # Buddy says woof!
print(dog.get_private_attr()) # I am private

# print(dog.__private_attr)   # AttributeError: 'Dog' object has no
attribute '__private_attr'
```

위의 예제에서 Animal 클래스는 보호된 멤버 _name과 비공개 멤버 __private_attr를 가집니다. Dog 클래스는 _name 멤버에 접근할 수 있지만, __private_attr 멤버에는 접근할 수 없습니다.

이러한 접근 지정자를 사용하여 클래스 멤버의 접근 수준을 제어하고, 데이터의 무결성을 유지할 수 있습니다.

객체의 상태와 행동

객체는 상태와 행동을 통해 서로 다른 특성과 기능을 가집니다. 상태는 객체의 속성 값으로 나타내며, 행동은 객체의 메서드를 통해 구현됩니다.

다음 예제에서는 학생 객체를 정의하고, 이를 통해 객체의 상태와 행동을 설명하겠습니다.

객체의 상태는 객체가 가지고 있는 데이터나 속성을 의미합니다. 학생 객체의 경우, 다음과 같은 속성들로 상태를 나타낼 수 있습니다.

- 이름(name): 학생의 이름을 나타냅니다.
- 나이(age): 학생의 나이를 나타냅니다.
- 학년(grade): 학생의 현재 학년을 나타냅니다.
- 학번(student_id): 학생의 고유 식별 번호를 나타냅니다.
- 과목별 점수(scores): 학생이 수강한 각 과목의 점수를 나타냅니다.

객체의 행동은 객체가 수행할 수 있는 동작을 의미합니다. 학생 객체의 경우, 다음과 같은 행동들이 있을 수 있습니다.

- 성적 추가(add_score): 새로운 과목의 성적을 추가합니다.
- 평균 성적 계산(calculate_average): 모든 과목의 평균 성적을 계산합니다.
- 정보 출력(print_info): 학생의 기본 정보를 출력합니다.

```python
class Student:
    def __init__(self, name, age, grade, student_id):
        self.name = name
        self.age = age
        self.grade = grade
        self.student_id = student_id
        self.scores = {}

    def add_score(self, subject, score):
        """과목별 점수를 추가합니다."""
        self.scores[subject] = score

    def calculate_average(self):
        """평균 성적을 계산하여 반환합니다."""
        if not self.scores:
            return 0
        total_score = sum(self.scores.values())
        number_of_subjects = len(self.scores)
        return total_score / number_of_subjects

    def print_info(self):
        """학생의 정보를 출력합니다."""
        print(f"이름: {self.name}")
        print(f"나이: {self.age}")
        print(f"학년: {self.grade}")
        print(f"학번: {self.student_id}")
```

```python
        print(f"평균 성적: {self.calculate_average()}")

# 학생 객체 생성 예시
student1 = Student("홍길동", 24, 3, "20230101")

# 상태: 학생 정보와 과목별 점수 추가
student1.add_score("수학", 90)
student1.add_score("영어", 80)
student1.add_score("과학", 70)

# 행동: 학생 정보 출력
student1.print_info()

# 실행 결과
# 이름: 홍길동
# 나이: 24
# 학년: 3
# 학번: 20230101
# 평균 성적: 80.0
```

name, age, grade, student_id와 같은 속성은 학생 객체의 상태를 나타냅니다. 이러한 속성들은 학생의 고유한 정보를 저장합니다. scores 딕셔너리는 과목별 점수를 저장하며, 학생의 학업 성취도를 나타내는 상태입니다.

add_score 메소드는 새로운 과목의 성적을 추가하는 동작을 수행합니다. 이는 학생 객체의 상태인 scores를 수정합니다. calculate_average 메소드는 저장된 모든 과목의 평균 성적을 계산합니다. 이는 객체의 상태를 기반으로 연산을 수행하는 동작입니다. print_info 메소드는 학생의 기본 정보와 평균 성적을 출력하는 동작을 수행합니다. 이는 객체의 상태를 사용자에게 보여주는 역할을 합니다.

이와 같이, 객체는 상태와 행동을 통해 자신의 특징을 정의하고, 특정 동작을 수행함으로써 프로그램 내에서 의미 있는 기능을 제공합니다.

객체의 독립성

객체는 각각 독립적인 상태를 유지하며, 다른 객체와 상호작용할 때도 그 독립성을 유지합니다. 이는 각 객체가 자신만의 속성 값을 가지고 있고, 다른 객체의 상태 변화에 직접적으로 영향을 받지 않는다는 것을 의미합니다.

은행 계좌(BankAccount) 객체를 정의하고, 각 계좌가 독립적으로 작동하는 모습을 살펴보겠습니다.

```python
class BankAccount:
    def __init__(self, owner, balance=0):
        self.owner = owner
        self.balance = balance

    def deposit(self, amount):
        if amount > 0:
            self.balance += amount
            return f"{self.owner}님 계좌로 {amount}원을 입금한 결과,
잔액은 {self.balance}원 입니다."
        return "입금액이 올바르지 않습니다."

    def withdraw(self, amount):
        if 0 < amount <= self.balance:
            self.balance -= amount
            return f"{self.owner}님 계좌에서 {amount}원을 출금한 결과,
잔액은 {self.balance}원 입니다."
        return "출금액이 올바르지 않습니다."

    def transfer(self, other_account, amount):
        if 0 < amount <= self.balance:
            self.balance -= amount
            other_account.balance += amount
            return f"{self.owner}님 계좌에서 {other_account.owner}님
계좌로 {amount}원을 이체한 결과, 잔액은 {self.balance}원 입니다."
        return "이체금액이 올바르지 않습니다."
```

```python
    def get_balance(self):
        return f"{self.owner}님 계좌의 잔액은 {self.balance}원 입니다."

# 두 개의 독립적인 은행 계좌 객체 생성
account_hong = BankAccount("홍길동", 1000)
account_go = BankAccount("고길동", 500)

# 두 개의 독립적인 은행 계좌 객체 생성
account_hong = BankAccount("홍길동", 1000)
account_go = BankAccount("고길동", 500)

# 각 계좌의 잔고 확인
print(account_hong.get_balance())
print(account_go.get_balance())

# 홍길동의 계좌에 입금 및 인출
print(account_hong.deposit(200))
print(account_hong.withdraw(150))

# 고길동의 계좌에 입금 및 인출
print(account_go.deposit(300))
print(account_go.withdraw(100))

# 각 계좌의 잔고 확인
print(account_hong.get_balance())
print(account_go.get_balance())

# 홍길동의 계좌에서 고길동의 계좌로 이체
print(account_hong.transfer(account_go, 200))

# 각 계좌의 잔고 확인
print(account_hong.get_balance())
print(account_go.get_balance())

# 실행 결과
```

```
# 홍길동님 계좌의 잔액은 1000원 입니다.
# 고길동님 계좌의 잔액은 500원 입니다.
# 홍길동님 계좌로 200원을 입금한 결과, 잔액은 1200원 입니다.
# 홍길동님 계좌에서 150원을 출금한 결과, 잔액은 1050원 입니다.
# 고길동님 계좌로 300원을 입금한 결과, 잔액은 800원 입니다.
# 고길동님 계좌에서 100원을 출금한 결과, 잔액은 700원 입니다.
# 홍길동님 계좌의 잔액은 1050원 입니다.
# 고길동님 계좌의 잔액은 700원 입니다.
# 홍길동님 계좌에서 고길동님 계좌로 200원을 이체한 결과, 잔액은 850원
입니다.
# 홍길동님 계좌의 잔액은 850원 입니다.
# 고길동님 계좌의 잔액은 900원 입니다.
```

위 예제에서 account_hong과 account_go는 각각 독립적인 은행 계좌 객체입니다.

account_hong은 홍길동의 계좌로, 초기 잔액은 1000입니다. 입금과 인출 후 잔액은 1050입니다. account_go는 고길동의 계좌로, 초기 잔액은 500입니다. 입금과 인출 후 잔액은 700입니다.

각 계좌는 독립적으로 동작하며, 한 계좌의 입금이나 인출이 다른 계좌의 잔액에 영향을 미치지 않습니다.

transfer 메소드를 사용하여 홍길동의 계좌에서 고길동의 계좌로 금액을 이체했습니다. 이 과정에서 두 객체는 상호작용하지만, 여전히 각 객체의 상태는 독립적으로 유지됩니다. 홍길동의 잔액은 800으로 감소하고, 고길동의 잔액은 700으로 증가합니다.

객체의 수명 주기

객체는 생성, 사용, 소멸의 수명 주기를 가집니다.

객체의 생명주기는 객체가 생성될 때 시작됩니다. 객체 생성은 클래스의 인스턴스를 만드는 과정으로, 파이썬에서 객체는 클래스의 생성자(__init__)를 호출하여 생성됩니다.

생성된 객체는 생성자를 통해 초기화됩니다. 이 단계에서 객체의 속성이 설정되고, 필요한 초기 설정이 이루어집니다.

초기화된 객체는 프로그램 내에서 다양한 방식으로 사용됩니다. 객체의 메서드를 호출하거나, 속성에 접근하거나, 다른 객체와 상호작용할 수 있습니다.

객체는 더 이상 필요하지 않거나, 프로그램이 종료될 때 소멸됩니다. 파이썬에서 객체의 소멸은 주로 가비지 컬렉터에 의해 자동으로 관리됩니다. 객체가 더 이상 참조되지 않을 때 가비지 컬렉터가 해당 객체를 메모리에서 해제합니다.

파이썬에서는 객체가 소멸될 때 호출되는 소멸자(__del__) 메소드를 정의할 수 있습니다. 이 메소드는 객체가 메모리에서 해제되기 전에 필요한 정리 작업을 수행하는 데 사용됩니다. 그러나 파이썬의 가비지 컬렉션 특성상 소멸자가 항상 호출된다는 보장은 없습니다.

다형성

다형성(Polymorphism)은 객체 지향 프로그래밍(OOP)의 핵심 개념 중 하나로, 동일한 인터페이스를 통해 서로 다른 데이터 타입을 다룰 수 있는 능력을 의미합니다. 다형성은 코드의 유연성과 확장성을 높이는 데 중요한 역할을 합니다.

파이썬에서 다형성은 주로 상속과 메서드 오버라이딩을 통해 구현됩니다. 이는 동일한 메서드 호출이 객체의 타입에 따라 다르게 동작할 수 있음을 의미합니다.

다형성 예제

부모 클래스 정의

```python
class Animal:
    def speak(self):
        raise NotImplementedError("Subclass must implement abstract
method")
```

위의 Animal 클래스는 추상 클래스처럼 사용되며, speak 메서드는 모든 자식 클래스에서 구현해야 합니다.

자식 클래스 정의

```python
class Dog(Animal):
    def speak(self):
        return "Woof!"

class Cat(Animal):
    def speak(self):
        return "Meow!"
```

Dog 클래스와 Cat 클래스는 각각 Animal 클래스를 상속받고, speak 메서드를 오버라이딩하여 구체적인 동물의 소리를 반환합니다.

다형성 구현

```python
def make_animal_speak(animal):
    print(animal.speak())

dog = Dog()
cat = Cat()

make_animal_speak(dog)  # Woof!
make_animal_speak(cat)  # Meow!
```

위의 make_animal_speak 함수는 Animal 타입의 객체를 매개변수로 받아, 객체의 speak 메서드를 호출합니다. 이 함수는 매개변수로 전달된 객체가 Dog이든 Cat이든 동일하게 작동합니다. 이는 speak 메서드가 객체의 타입에 따라 다르게 동작하기 때문입니다.

다형성의 장점

코드의 유연성 증가: 동일한 코드를 사용하여 다양한 타입의 객체를 처리할 수 있습니다.

코드의 재사용성 향상: 다형성을 통해 동일한 코드 블록을 여러 타입의 객체에 대해 사용할 수 있습니다.

유지 보수성 개선: 새로운 클래스가 추가되더라도 기존 코드를 수정할 필요 없이 확장할 수 있습니다.

캡슐화

캡슐화는 객체 지향 프로그래밍(OOP)의 핵심 개념 중 하나로, 데이터(속성)와 메서드(행동)를 하나의 단위로 묶고, 외부로부터 데이터를 보호하는 것을 의미합니다. 이는 객체의 내부 상태를 숨기고, 객체 간의 상호작용을 제어하는 데 도움을 줍니다. 캡슐화를 통해 데이터 무결성을 유지하고, 코드를 더 안전하고 견고하게 만들 수 있습니다.

캡슐화의 목적

데이터 보호: 객체의 속성을 외부에서 직접 접근하지 못하게 함으로써 데이터를 보호합니다.

코드 유지보수성 향상: 외부 코드와의 결합도를 낮추어, 코드 변경 시 영향을 최소화합니다.

코드 가독성 향상: 객체의 내부 구현을 숨기고, 명확한 인터페이스를 제공하여 코드 가독성을 높입니다.

접근 지정자

파이썬에서는 접근 지정자를 통해 클래스의 속성과 메서드의 접근 수준을 제어할 수 있습니다. 일반적으로 세 가지 접근 지정자를 사용합니다:

공개(Public): 클래스 외부에서 자유롭게 접근할 수 있습니다.
보호(Protected): 클래스 내부와 서브 클래스에서 접근할 수 있으며, 클래스 외부에서는 접근하지 않는 것이 좋습니다.
비공개(Private): 클래스 내부에서만 접근할 수 있으며, 외부에서는 접근할 수 없습니다.

파이썬은 명시적인 접근 지정자를 제공하지 않지만, 다음과 같은 관례를 통해 접근 수준을 제어합니다:

공개 속성/메서드: 이름 앞에 밑줄을 붙이지 않습니다.

```python
class Car:
    def __init__(self, make, model):
        self.make = make     # 공개 속성
        self.model = model   # 공개 속성

    def display_info(self):  # 공개 메서드
        return f"Car make: {self.make}, Model: {self.model}"

car = Car("Toyota", "Corolla")

print(car.display_info())
print(car.make)
print(car.model)
```

```
# 실행 결과
# Car make: Toyota, Model: Corolla
# Toyota
# Corolla
```

위의 예제에서는 Car 클래스의 속성과 메서드가 공개되어 있어 클래스 외부에서도
자유롭게 접근할 수 있습니다.

보호된 속성/메서드: 이름 앞에 밑줄 하나(_)를 붙입니다.

```
class Car:
    def __init__(self, make, model):
        self._make = make      # 보호된 속성
        self._model = model    # 보호된 속성

    def _display_info(self):  # 보호된 메서드
        return f"Car make: {self._make}, Model: {self._model}"

car = Car("Toyota", "Corolla")

print(car._display_info())
print(car._make)
print(car._model)

# 실행 결과
# Car make: Toyota, Model: Corolla
# Toyota
# Corolla
```

위의 예제에서는 Car 클래스의 속성과 메서드가 보호 수준으로 지정되어 있습니다. 이는
클래스 외부에서 접근할 수 있지만, 관례적으로 접근하지 않도록 권장됩니다.

비공개 속성/메서드: 이름 앞에 밑줄 두 개(__)를 붙입니다.

```python
class Car:
    def __init__(self, make, model):
        self.__make = make      # 비공개 속성
        self.__model = model    # 비공개 속성

    def __display_info(self):  # 비공개 메서드
        return f"Car make: {self.__make}, Model: {self.__model}"

    def get_info(self):         # 공개 메서드
        return self.__display_info()

car = Car("Toyota", "Corolla")

print(car.get_info())

# 실행 결과
# Car make: Toyota, Model: Corolla

# car.__make ⇒ AttributeError: 'Car' object has no attribute '__make'
# car.__model ⇒ AttributeError: 'Car' object has no attribute '__model'
# car.__display_info() ⇒ AttributeError: 'Car' object has no attribute
'__display_info'
```

위의 예제에서는 Car 클래스의 속성과 메서드가 비공개 수준으로 지정되어 있습니다. 이는 클래스 외부에서 직접 접근할 수 없으며, 공개 메서드를 통해서만 접근할 수 있습니다.

게터(Getter)와 세터(Setter)

캡슐화를 통해 보호된 또는 비공개 속성에 접근하기 위해 게터와 세터 메서드를 사용합니다. 게터는 속성 값을 반환하고, 세터는 속성 값을 설정합니다. 이를 통해 속성 값의 유효성을 검사하거나 추가적인 로직을 추가할 수 있습니다.

```python
class Car:
    def __init__(self, make, model, year):
        self.__make = make
        self.__model = model
        self.__year = year

    def get_make(self):
        return self.__make

    def set_make(self, make):
        self.__make = make

    def get_model(self):
        return self.__model

    def set_model(self, model):
        self.__model = model

    def get_year(self):
        return self.__year

    def set_year(self, year):
        if year > 1885:  # 최초의 자동차는 1886년에 발명됨
            self.__year = year
        else:
            raise ValueError("Year must be greater than 1885")

car = Car("Toyota", "Corolla", 2020)
print(car.get_make())  # Toyota
car.set_year(2021)
print(car.get_year())  # 2021
# car.set_year(1800)  # ValueError: Year must be greater than 1885
```

위의 예제에서는 Car 클래스의 속성에 접근하기 위해 게터와 세터 메서드를 사용합니다. set_year 메서드는 유효성을 검사하여 연도가 1885보다 큰 경우에만 속성 값을 설정합니다.

추상화

추상화는 객체 지향 프로그래밍(OOP)의 핵심 개념 중 하나로, 복잡한 시스템에서 중요한 정보만을 노출하고 불필요한 세부 사항을 숨기는 것을 의미합니다. 추상화는 코드를 간결하고 이해하기 쉽게 만들며, 시스템의 복잡성을 관리하는 데 도움을 줍니다. 이를 통해 개발자는 중요한 부분에 집중할 수 있고, 인터페이스를 통해 객체 간의 상호작용을 단순화할 수 있습니다.

파이썬에서는 추상 클래스를 사용하여 추상화를 구현할 수 있습니다. 추상 클래스는 인스턴스화될 수 없는 클래스이며, 하나 이상의 추상 메서드(구현되지 않은 메서드)를 포함합니다. 추상 메서드는 하위 클래스에서 반드시 구현해야 합니다. 파이썬에서는 abc 모듈을 사용하여 추상 클래스와 추상 메서드를 정의할 수 있습니다.

추상 클래스와 추상 메서드

추상 클래스는 다른 클래스들이 상속받을 수 있는 기본 클래스로 사용되며, 추상 메서드는 하위 클래스에서 구현해야 하는 메서드입니다. 추상 클래스는 ABC 클래스를 상속받고, 추상 메서드는 @abstractmethod 데코레이터를 사용하여 정의합니다.

추상 클래스 정의

```
from abc import ABC, abstractmethod

class Animal(ABC):
```

```
    @abstractmethod
    def speak(self):
        pass

    @abstractmethod
    def move(self):
        pass
```

위의 예제에서 Animal 클래스는 추상 클래스로 정의되었으며, speak와 move 추상
메서드를 포함합니다. 이 메서드들은 하위 클래스에서 반드시 구현해야 합니다.

하위 클래스 정의

```
class Dog(Animal):
    def speak(self):
        return "Woof!"

    def move(self):
        return "Runs"

class Bird(Animal):
    def speak(self):
        return "Chirp!"

    def move(self):
        return "Flies"
```

Dog 클래스와 Bird 클래스는 Animal 추상 클래스를 상속받고, speak와 move 메서드를
각각 구현합니다.

추상화의 장점

코드 재사용성: 추상 클래스는 공통 기능을 정의하여 하위 클래스에서 재사용할 수 있게 합니다.

유지보수성 향상: 추상 클래스를 사용하면 코드 변경 시 일관성을 유지할 수 있으며, 하위 클래스가 공통 인터페이스를 구현하므로 유지보수가 용이합니다.

코드 가독성 향상: 추상화는 중요한 부분만을 노출하고 불필요한 세부 사항을 숨김으로써 코드를 간결하고 이해하기 쉽게 만듭니다.

확장성 증가: 새로운 하위 클래스를 추가할 때 추상 클래스를 기반으로 쉽게 확장할 수 있습니다.

9장 데이터베이스

Readability counts.

데이터베이스는 데이터를 효율적으로 저장, 관리, 검색할 수 있는 시스템으로, 많은 응용 프로그램에서 핵심적인 역할을 합니다. 이 장에서는 파이썬이 다양한 데이터베이스와 상호 작용하는 방법에 대해 학습합니다.

SQLite를 사용한 데이터베이스 관리

SQLite는 경량의 관계형 데이터베이스 관리 시스템(RDBMS)으로, 서버가 필요 없고 파일 기반으로 동작하는 특징을 가지고 있습니다. SQLite는 대부분의 프로그래밍 언어에서 사용할 수 있으며, 특히 파이썬과 잘 통합됩니다. SQLite는 소규모 애플리케이션, 테스트 환경, 임베디드 시스템 등에 적합합니다.

SQLite의 주요 특징

서버리스

SQLite는 서버리스 데이터베이스입니다. 이는 별도의 서버 프로세스를 필요로 하지 않으며, 데이터베이스 엔진이 애플리케이션과 동일한 프로세스에서 실행된다는 것을 의미합니다. 이러한 구조는 설정이 간단하고, 복잡한 서버 관리 작업 없이 데이터베이스를 사용할 수 있게 해줍니다.

파일 기반

SQLite 데이터베이스는 하나의 파일로 저장됩니다. 이는 데이터베이스의 백업, 전송, 복제를 매우 간단하게 만들어 주며, 데이터베이스 파일은 플랫폼 독립적이므로, 한 운영 체제에서 생성된 파일을 다른 운영 체제에서도 쉽게 사용할 수 있습니다.

ACID 준수

SQLite는 트랜잭션을 지원하며, ACID(Atomicity, Consistency, Isolation, Durability) 속성을 완전히 준수합니다. 이는 SQLite가 데이터의 무결성과 안정성을 보장함을 의미합니다. 여러 작업을 하나의 트랜잭션으로 묶어 수행할 수 있으며, 트랜잭션이 완료되기 전까지의 모든 변경 사항은 다른 트랜잭션에서 보이지 않습니다.

독립 실행형

SQLite는 독립 실행형 라이브러리로, 추가적인 종속성 없이 작동합니다. 데이터베이스 엔진이 애플리케이션에 직접 포함되므로, 배포가 간편하고 외부 의존성을 최소화할 수 있습니다.

사용하기 쉬운 API

SQLite는 사용하기 쉬운 API를 제공하여 다양한 프로그래밍 언어에서 쉽게 사용할 수 있습니다. 대부분의 언어는 SQLite를 위한 바인딩을 제공하며, 간단한 함수 호출로 데이터베이스 작업을 수행할 수 있습니다.

경량 (Lightweight)

SQLite는 매우 경량의 데이터베이스 시스템입니다. 소스 코드 크기가 작고, 메모리 및 디스크 사용량이 적습니다. 따라서 자원이 제한된 환경에서도 효과적으로 사용할 수 있습니다.

트리거, 뷰, 복합 인덱스 지원

SQLite는 고급 SQL 기능인 트리거, 뷰, 복합 인덱스를 지원합니다. 이러한 기능들은 데이터베이스 내의 데이터 무결성을 유지하고, 복잡한 쿼리를 단순화하며, 성능을 최적화하는 데 유용합니다.

오픈 소스

SQLite는 오픈 소스 소프트웨어로, 소스 코드를 무료로 사용할 수 있습니다. 이는 사용자들이 소스 코드를 검사하고, 수정하며, 자신들의 필요에 맞게 커스터마이징할 수 있게 합니다. SQLite는 Public Domain 라이선스를 따르므로, 상업적 용도에도 제한 없이 사용할 수 있습니다.

광범위한 채택

SQLite는 다양한 애플리케이션과 시스템에서 널리 사용됩니다. 웹 브라우저, 모바일 운영체제(Android, iOS), 임베디드 시스템, 데이터 분석 도구 등에서 SQLite를 찾을 수 있습니다. 이는 SQLite의 안정성과 성능이 검증되었음을 의미합니다.

확장 가능성

SQLite는 기본적으로 단일 사용자 시스템에 적합하지만, 여러 사용자가 동시에 액세스할 수 있는 상황에서도 적절하게 작동합니다. 또한, 필요에 따라 다양한 확장 기능을 추가할 수 있습니다.

SQLite와 파이썬

파이썬에서는 sqlite3 모듈을 사용하여 SQLite 데이터베이스를 쉽게 관리할 수 있습니다. sqlite3 모듈은 파이썬 표준 라이브러리에 포함되어 있어 별도의 설치가 필요 없습니다.

데이터베이스 연결

데이터베이스에 연결하려면 sqlite3.connect() 메서드를 사용합니다. 데이터베이스 파일이 존재하지 않으면 자동으로 생성됩니다.

```
import sqlite3

# 데이터베이스 연결
conn = sqlite3.connect('example.db')

# 커서 객체 생성
cursor = conn.cursor()
```

테이블 생성

테이블을 생성하려면 CREATE TABLE 구문을 사용합니다. execute() 메서드를 통해 SQL 문을 실행합니다.

```
# 테이블 생성
```

```
cursor.execute('''
CREATE TABLE IF NOT EXISTS users (
    id INTEGER PRIMARY KEY AUTOINCREMENT,
    name TEXT NOT NULL,
    age INTEGER NOT NULL,
    email TEXT UNIQUE NOT NULL
)
''')
```

데이터 삽입

데이터를 삽입하려면 INSERT INTO 구문을 사용합니다.

```
# 데이터 삽입
cursor.execute('''
INSERT INTO users (name, age, email) VALUES (?, ?, ?)
''', ('Alice', 30, 'alice@example.com'))

cursor.execute('''
INSERT INTO users (name, age, email) VALUES (?, ?, ?)
''', ('Bob', 25, 'bob@example.com'))

# 변경사항 저장
conn.commit()
```

데이터 조회

데이터를 조회하려면 SELECT 구문을 사용합니다. 결과는 커서 객체의 fetchall() 또는
fetchone() 메서드를 통해 가져올 수 있습니다.

```
# 데이터 조회
cursor.execute('SELECT * FROM users')
```

```
rows = cursor.fetchall()

for row in rows:
    print(row)

# 실행 결과
(1, 'Alice', 30, 'alice@example.com')
(2, 'Bob', 25, 'bob@example.com')
```

데이터 업데이트

데이터를 업데이트하려면 UPDATE 구문을 사용합니다.

```
# 데이터 업데이트
cursor.execute('''
UPDATE users SET age = ? WHERE name = ?
''', (31, 'Alice'))

# 변경사항 저장
conn.commit()
```

데이터 삭제

데이터를 삭제하려면 DELETE 구문을 사용합니다.

```
# 데이터 삭제
cursor.execute('''
DELETE FROM users WHERE name = ?
''', ('Bob',))

# 변경사항 저장
conn.commit()
```

트랜잭션 관리

SQLite는 트랜잭션을 통해 데이터의 일관성을 유지합니다. 기본적으로 conn.commit()을 호출하면 모든 변경사항이 저장되고, conn.rollback()을 호출하면 모든 변경사항이 취소됩니다.

```
try:
    cursor.execute('INSERT INTO users (name, age, email) VALUES (?, ?,
?)', ('Charlie', 28, 'charlie@example.com'))
    conn.commit()
except sqlite3.Error as e:
    print(f"Error occurred: {e}")
    conn.rollback()
```

연결 종료

작업이 완료되면 데이터베이스 연결을 종료해야 합니다.

```
# 커서와 연결 종료
cursor.close()
conn.close()
```

SQLite는 경량의 데이터베이스 관리 시스템으로, 파일 기반의 데이터베이스를 쉽게 관리할 수 있게 해줍니다. 파이썬의 sqlite3 모듈을 사용하면 SQLite 데이터베이스와 상호작용할 수 있으며, 데이터베이스 연결, 테이블 생성, 데이터 삽입, 조회, 업데이트, 삭제 등의 작업을 쉽게 수행할 수 있습니다. SQLite는 서버리스이며, 소규모 애플리케이션이나 테스트 환경에 적합한 선택입니다. 이러한 기능들을 이해하고 활용하면 더욱 효율적으로 데이터베이스를 관리할 수 있습니다.

ORM과 SQLAlchemy

객체 관계 매핑(Object-Relational Mapping, ORM)은 데이터베이스의 테이블을 객체로 매핑하여, SQL을 직접 사용하지 않고도 데이터베이스 작업을 수행할 수 있게 해주는 기법입니다. 파이썬에서 가장 널리 사용되는 ORM 라이브러리 중 하나는 SQLAlchemy입니다. SQLAlchemy는 강력하고 유연한 ORM 기능을 제공하여, 복잡한 데이터베이스 작업을 간편하게 수행할 수 있게 해줍니다.

SQLAlchemy의 주요 구성 요소

엔진 (Engine)

엔진은 SQLAlchemy의 가장 기본적인 구성 요소 중 하나로, 데이터베이스와의 연결을 관리하고 SQL 명령을 실행하는 역할을 합니다. 엔진은 데이터베이스 URL을 사용하여 생성되며, 데이터베이스와의 모든 상호작용의 시작점이 됩니다.

엔지 생성 예시

```
from sqlalchemy import create_engine

# SQLite 데이터베이스 엔진 생성
engine = create_engine('sqlite:///example.db', echo=True)
```

create_engine 함수는 특정 데이터베이스에 대한 연결 정보를 포함하고 있는 데이터베이스 URL을 사용하여 engine 객체를 생성해 반환합니다.

example.db 파일은 SQLite 데이터베이스 파일로 사용되며, echo=True 옵션은 SQLAlchemy가 생성하는 모든 SQL 명령을 콘솔에 출력하도록 설정합니다.

데이터베이스 URL은 다음과 같은 형식을 따릅니다.

```
dialect+driver://username:password@host:port/database
```

- dialect : 사용할 데이터베이스의 유형 (예: sqlite, mysql, postgresql)
- driver : 데이터베이스에 접근하는 데 사용할 드라이버 (예: pysqlite, pymysql, psycopg2)
- username : 데이터베이스에 접속할 사용자명
- password : 사용자 비밀번호
- host : 데이터베이스 서버 호스트 (로컬 데이터베이스의 경우 생략 가능)
- port : 데이터베이스 서버 포트 (기본 포트는 생략 가능)
- database : 데이터베이스 이름 또는 파일 경로 (SQLite의 경우 파일 경로)

주요 데이터베이스 별 URL 예시 입니다.

- MySQL ⇒ mysql+pymysql://username:password@host/dbname
- PostgreSQL ⇒ postgresql+psycopg2://username:password@host/dbname
- Oracle ⇒ oracle+cx_oracle://username:password@host:port/dbname

create_engine 함수는 데이터베이스 URL 외에도 다양한 매개변수를 사용할 수 있습니다.

- echo : SQLAlchemy가 생성하는 모든 SQL 명령을 콘솔에 출력 (기본값: False)
- pool_size : 연결 풀의 크기 (기본값: 5)
- max_overflow : 연결 풀에서 허용되는 최대 초과 연결 수 (기본값: 10)
- pool_timeout : 풀에서 연결을 얻기 위해 대기할 최대 시간 (기본값: 30 초)
- pool_recycle : 지정된 시간(초)이 지나면 연결을 재활용 (기본값: -1, 비활성화)

세션 (Session)

세션은 SQLAlchemy ORM에서 데이터베이스 트랜잭션을 관리하는 핵심 구성 요소입니다. 세션은 데이터베이스 작업을 일관된 방식으로 관리하고, 데이터베이스와의 상호작용을 캡슐화합니다. 세션을 사용하여 객체를 데이터베이스에 추가하거나, 쿼리를 수행하고, 트랜잭션을 관리할 수 있습니다.

세션 생성 예시

```
from sqlalchemy.orm import sessionmaker

# 세션 생성기(Session Factory) 생성
Session = sessionmaker(bind=engine)

# 세션 인스턴스 생성
session = Session()
```

sessionmaker 함수는 세션 생성기를 반환하며, 이 생성기는 데이터베이스 엔진에 바인딩됩니다.
생성된 세션 인스턴스는 데이터베이스와의 모든 상호작용을 처리합니다.

기초 선언 (Declarative Base)

SQLAlchemy의 기초 선언은 클래스를 데이터베이스 테이블로 매핑하는 방식을 단순화하는 방법입니다. 기초 선언은 declarative_base 함수를 사용하여 생성되며, 이를 통해 정의된 모든 클래스는 자동으로 데이터베이스 테이블과 매핑됩니다.

기초 선언 예시

```
from sqlalchemy.orm import declarative_base

# 기초 선언 생성
Base = declarative_base()
```

declarative_base 함수는 기초 선언 클래스를 반환하며, 이 클래스는 모든 ORM 모델의 기본 클래스가 됩니다.

모델 (Model)

모델은 기초 선언을 통해 정의된 클래스로, 데이터베이스 테이블과 매핑됩니다. 모델 클래스는 데이터베이스 테이블의 구조를 정의하고, 각 열을 속성으로 나타냅니다. 모델 클래스는 기초 선언(Base)을 상속받아 정의됩니다.

모델 정의 예시

```python
from sqlalchemy import Column, Integer, String

class User(Base):
    __tablename__ = 'users'              # 테이블 이름

    id = Column(Integer, primary_key=True) # 기본 키 열
    name = Column(String)                # 문자열 열
    age = Coumn(Integer)                 # 정수형 열

# 데이터베이스에 테이블 생성
Base.metadata.create_all(engine)
```

__tablename__ 속성은 데이터베이스 테이블의 이름을 정의합니다.

Column 객체는 테이블의 각 열을 정의합니다. 열의 데이터 타입과 추가 옵션(예: primary_key)을 지정할 수 있습니다.

Base.metadata.create_all(engine) 명령은 기초 선언(Base)에 정의된 모든 모델을 기반으로 데이터베이스 테이블을 생성합니다.

SQLAlchemy 설치

먼저, SQLAlchemy를 설치해야 합니다. pip install 명령을 사용하여 설치할 수 있습니다.

```
pip install sqlalchemy
```

기본 설정 및 데이터베이스 연결

SQLAlchemy를 사용하여 데이터베이스에 연결하려면 엔진을 생성해야 합니다. SQLite 데이터베이스를 예제로 사용하여 기본 설정을 진행합니다.

```python
from sqlalchemy import create_engine
from sqlalchemy.orm import declarative_base
from sqlalchemy.orm import sessionmaker

# 데이터베이스 엔진 생성
engine = create_engine('sqlite:///example.db', echo=True)

# 기초 선언 클래스 생성
Base = declarative_base()

# 세션 생성기 설정
Session = sessionmaker(bind=engine)
session = Session()
```

모델 정의

모델 클래스는 데이터베이스 테이블을 나타내며, 각 클래스는 Base를 상속받아 정의합니다. 각 모델 클래스는 테이블의 이름과 컬럼을 정의합니다.

```python
from sqlalchemy import Column, Integer, String

class User(Base):
    __tablename__ = 'users'

    id = Column(Integer, primary_key=True, autoincrement=True)
    name = Column(String, nullable=False)
    age = Column(Integer, nullable=False)
    email = Column(String, unique=True, nullable=False)

    def __repr__(self):
        return f"<User(name={self.name}, age={self.age},
email={self.email})>"
```

테이블 생성

모델 클래스를 정의한 후, 데이터베이스에 테이블을 생성합니다.

```python
# 테이블 생성
Base.metadata.create_all(engine)
```

데이터 삽입

새로운 데이터를 삽입하려면 모델 클래스의 인스턴스를 생성하고, 세션을 통해 데이터베이스에 추가합니다.

```python
# 새로운 사용자 추가
new_user = User(name='Alice', age=30, email='alice@example.com')
session.add(new_user)
session.commit()
```

데이터 조회

데이터를 조회하려면 세션을 통해 쿼리를 실행합니다.

```
# 모든 사용자 조회
users = session.query(User).all()
for user in users:
    print(user)
```

데이터 업데이트

데이터를 업데이트하려면 쿼리를 통해 객체를 조회한 후, 해당 객체의 속성을 변경하고
세션을 통해 커밋합니다.

```
# 사용자 조회 및 업데이트
user = session.query(User).filter_by(name='Alice').first()
if user:
    user.age = 31
    session.commit()
```

데이터 삭제

데이터를 삭제하려면 쿼리를 통해 객체를 조회한 후, 해당 객체를 세션에서 삭제하고
커밋합니다.

```
# 사용자 조회 및 삭제
user = session.query(User).filter_by(name='Alice').first()
if user:
    session.delete(user)
    session.commit()
```

전체 예제

SQLAlchemy를 사용하여 데이터베이스를 관리하는 전체 예제는 다음과 같습니다.

```python
from sqlalchemy import create_engine, Column, Integer, String
from sqlalchemy.orm import declarative_base
from sqlalchemy.orm import sessionmaker

# 데이터베이스 엔진 생성
engine = create_engine('sqlite:///example.db', echo=True)

# 기초 선언 클래스 생성
Base = declarative_base()

# 모델 정의
class User(Base):
    __tablename__ = 'users'

    id = Column(Integer, primary_key=True, autoincrement=True)
    name = Column(String, nullable=False)
    age = Column(Integer, nullable=False)
    email = Column(String, unique=True, nullable=False)

    def __repr__(self):
        return f"<User(name={self.name}, age={self.age},
email={self.email})>"

# 테이블 생성
Base.metadata.create_all(engine)

# 세션 생성기 설정
Session = sessionmaker(bind=engine)
session = Session()

# 새로운 사용자 추가
new_user = User(name='Alice', age=30, email='alice@example.com')
```

```python
session.add(new_user)
session.commit()

# 모든 사용자 조회
users = session.query(User).all()
print("Users after insertion:")
for user in users:
    print(user)

# 사용자 조회 및 업데이트
user = session.query(User).filter_by(name='Alice').first()
if user:
    user.age = 31
    session.commit()

# 모든 사용자 조회
users = session.query(User).all()
print("Users after update:")
for user in users:
    print(user)

# 사용자 조회 및 삭제
user = session.query(User).filter_by(name='Alice').first()
if user:
    session.delete(user)
    session.commit()

# 모든 사용자 조회
users = session.query(User).all()
print("Users after deletion:")
for user in users:
    print(user)

# 세션 종료
session.close()
```

```
# 실행 결과
2024-07-29 11:30:59,260 INFO sqlalchemy.engine.Engine BEGIN (implicit)
2024-07-29 11:30:59,260 INFO sqlalchemy.engine.Engine PRAGMA
main.table_info("users")
2024-07-29 11:30:59,261 INFO sqlalchemy.engine.Engine [raw sql] ()
2024-07-29 11:30:59,261 INFO sqlalchemy.engine.Engine COMMIT
2024-07-29 11:30:59,263 INFO sqlalchemy.engine.Engine BEGIN (implicit)
2024-07-29 11:30:59,264 INFO sqlalchemy.engine.Engine INSERT INTO users
(name, age, email) VALUES (?, ?, ?)
2024-07-29 11:30:59,264 INFO sqlalchemy.engine.Engine [generated in
0.00026s] ('Alice', 30, 'alice@example.com')
2024-07-29 11:30:59,266 INFO sqlalchemy.engine.Engine COMMIT
2024-07-29 11:30:59,269 INFO sqlalchemy.engine.Engine BEGIN (implicit)
2024-07-29 11:30:59,272 INFO sqlalchemy.engine.Engine SELECT users.id AS
users_id, users.name AS users_name, users.age AS users_age, users.email
AS users_email
FROM users
2024-07-29 11:30:59,273 INFO sqlalchemy.engine.Engine [generated in
0.00083s] ()
Users after insertion:
<User(name=Alice, age=30, email=alice@example.com)>
2024-07-29 11:30:59,280 INFO sqlalchemy.engine.Engine SELECT users.id AS
users_id, users.name AS users_name, users.age AS users_age, users.email
AS users_email
FROM users
WHERE users.name = ?
 LIMIT ? OFFSET ?
2024-07-29 11:30:59,282 INFO sqlalchemy.engine.Engine [generated in
0.00226s] ('Alice', 1, 0)
2024-07-29 11:30:59,284 INFO sqlalchemy.engine.Engine UPDATE users SET
age=? WHERE users.id = ?
2024-07-29 11:30:59,285 INFO sqlalchemy.engine.Engine [generated in
0.00062s] (31, 1)
2024-07-29 11:30:59,292 INFO sqlalchemy.engine.Engine COMMIT
2024-07-29 11:30:59,296 INFO sqlalchemy.engine.Engine BEGIN (implicit)
```

```
2024-07-29 11:30:59,296 INFO sqlalchemy.engine.Engine SELECT users.id AS
users_id, users.name AS users_name, users.age AS users_age, users.email
AS users_email
FROM users
2024-07-29 11:30:59,297 INFO sqlalchemy.engine.Engine [cached since
0.02555s ago] ()
Users after update:
<User(name=Alice, age=31, email=alice@example.com)>
2024-07-29 11:30:59,299 INFO sqlalchemy.engine.Engine SELECT users.id AS
users_id, users.name AS users_name, users.age AS users_age, users.email
AS users_email
FROM users
WHERE users.name = ?
 LIMIT ? OFFSET ?
2024-07-29 11:30:59,300 INFO sqlalchemy.engine.Engine [cached since
0.01984s ago] ('Alice', 1, 0)
2024-07-29 11:30:59,302 INFO sqlalchemy.engine.Engine DELETE FROM users
WHERE users.id = ?
2024-07-29 11:30:59,304 INFO sqlalchemy.engine.Engine [generated in
0.00184s] (1,)
2024-07-29 11:30:59,305 INFO sqlalchemy.engine.Engine COMMIT
2024-07-29 11:30:59,308 INFO sqlalchemy.engine.Engine BEGIN (implicit)
2024-07-29 11:30:59,309 INFO sqlalchemy.engine.Engine SELECT users.id AS
users_id, users.name AS users_name, users.age AS users_age, users.email
AS users_email
FROM users
2024-07-29 11:30:59,309 INFO sqlalchemy.engine.Engine [cached since
0.03746s ago] ()
Users after deletion:
2024-07-29 11:30:59,310 INFO sqlalchemy.engine.Engine ROLLBACK
```

SQLAlchemy는 강력하고 유연한 ORM 라이브러리로, 파이썬에서 데이터베이스 작업을
간편하게 수행할 수 있게 해줍니다. SQLAlchemy를 사용하면 데이터베이스 연결, 테이블
생성, 데이터 삽입, 조회, 업데이트, 삭제 등의 작업을 객체 지향 방식으로 처리할 수
있으며, 이를 통해 코드의 가독성과 유지보수성을 높일 수 있습니다.

실습: 블로그 애플리케이션

사용자에게 블로그 게시글을 작성하고, 조회하고, 수정하고, 삭제할 수 있는 기능을 제공하는 ORM 기반의 애플리케이션을 구현해 봅니다.

models.py

SQLAlchemy ORM을 사용하여 데이터베이스 테이블과 맵핑되는 파이썬 클래스를 정의합니다. Posts 클래스는 posts 테이블과 맵핑되며, id, title, content, author, created_at 등의 속성을 가집니다.

```python
from sqlalchemy import create_engine, Column, Integer, String, Text,
DateTime
from sqlalchemy.orm import declarative_base
from sqlalchemy.orm import sessionmaker
import datetime

# 데이터베이스 엔진 생성
engine = create_engine('sqlite:///blog.db', echo=True)

# 기초 선언 생성
Base = declarative_base()

# 블로그 게시글 모델 정의
class Post(Base):
    # TODO

# 테이블 생성
# TODO

# 세션 생성기
```

```
# TODO
```

crud_operations.py

새 게시글을 작성하는 create_post 함수, 모든 게시글을 조회하는 get_all_posts 함수, 특정 게시글을 조회하는 get_post 함수, 게시글을 수정하는 update_post 함수, 게시글을 삭제하는 delete_post 함수를 구현합니다.

```python
from models import Session, Post

# 세션 생성
# TODO

# CREATE - 새 게시글 작성
def create_post(title, content, author):
    # TODO

# READ - 모든 게시글 조회
def get_all_posts():
    # TODO

# READ - 특정 게시글 조회
def get_post(post_id):
    # TODO

# UPDATE - 게시글 수정
def update_post(post_id, title=None, content=None):
    # TODO

# DELETE - 게시글 삭제
def delete_post(post_id):
    # TODO

# 세션 종료
```

app.py

메뉴를 잘못 선택한 경우, 잘못된 입력입니다. 다시 시도하세요. 메시지를 출력합니다.

```
--- 블로그 관리 시스템 ---
N. 새 게시글 작성
R. 모든 게시글 조회
V. 특정 게시글 조회
U. 게시글 수정
D. 게시글 삭제
Q. 종료
원하는 작업을 선택하세요: X
잘못된 입력입니다. 다시 시도하세요.
```

새 게시글 작성을 선택하면 게시글 제목, 내용, 작성자를 입력받아 DB에 저장하고 제목, 작성자, 작성일시와 함께 작성 완료 메시지를 출력합니다.

```
--- 블로그 관리 시스템 ---
N. 새 게시글 작성
R. 모든 게시글 조회
V. 특정 게시글 조회
U. 게시글 수정
D. 게시글 삭제
Q. 종료
원하는 작업을 선택하세요: N
게시글 제목: 첫번째 제목
게시글 내용: 첫번째 내용
작성자: 홍길동
게시글 작성 완료: 첫번째 제목, 홍길동, 2024-07-29 13:07:41.276961
```

모든 게시글 조회를 선택하면 DB에 등록된 모든 게시글을 제목 by 작성자 at 작성일시 형식으로 출력합니다.

```
--- 블로그 관리 시스템 ---
N. 새 게시글 작성
R. 모든 게시글 조회
V. 특정 게시글 조회
U. 게시글 수정
D. 게시글 삭제
Q. 종료
원하는 작업을 선택하세요: R

모든 게시글:
1: 새로운 제목 by 작성자 at 2024-07-29 02:38:12.763085
2: 새로운 글 제목 by 테스터 at 2024-07-29 04:04:59.982362
3: 첫번째 제목 by 홍길동 at 2024-07-29 13:07:41.276961
```

특정 게시글 조회를 선택하면 게시글 ID를 입력받아, 일치하는 게시글의 ID, 제목, 내용, 작성자, 작성일시 정보를 출력합니다.

```
--- 블로그 관리 시스템 ---
N. 새 게시글 작성
R. 모든 게시글 조회
V. 특정 게시글 조회
U. 게시글 수정
D. 게시글 삭제
Q. 종료
원하는 작업을 선택하세요: V
조회할 게시글 ID: 2

게시글 ID: 2
게시글 제목: 새로운 글 제목
게시글 내용: 새로운 글 내용
작성자: 테스터
작성일: 2024-07-29 04:04:59.982362
```

게시글 수정을 선택하면 수정할 게시글의 ID와 새 제목, 새 내용을 입력받아, 일치하는 게시글의 제목과 내용을 수정 후 게시판 ID, 새 제목과 내용을 완료 메시지와 함께 출력합니다.

```
--- 블로그 관리 시스템 ---
N. 새 게시글 작성
R. 모든 게시글 조회
V. 특정 게시글 조회
U. 게시글 수정
D. 게시글 삭제
Q. 종료
원하는 작업을 선택하세요: U
수정할 게시글 ID: 3
새 제목 (건너뛰려면 엔터): 세번째 제목
새 내용 (건너뛰려면 엔터): 세번째 내용
게시글 3 수정 완료: 세번째 제목, 세번째 내용
```

일치하는 게시판 ID가 없는 경우, 오류 메시지를 출력합니다.

```
원하는 작업을 선택하세요: U
수정할 게시글 ID: 300
새 제목 (건너뛰려면 엔터):
새 내용 (건너뛰려면 엔터):
게시글 300을(를) 찾을 수 없습니다.
```

게시글 삭제를 선택하면 삭제할 게시판 ID를 입력받아 일치하는 게시판을 삭제 후 게시판 ID와 함께 완료 메시지를 출력합니다.

```
--- 블로그 관리 시스템 ---
N. 새 게시글 작성
R. 모든 게시글 조회
V. 특정 게시글 조회
U. 게시글 수정
D. 게시글 삭제
Q. 종료
```

```
원하는 작업을 선택하세요: D
삭제할 게시글 ID: 3
게시글 3 삭제 완료.
```

일치하는 게시판 ID가 없는 경우, 오류 메시지를 출력합니다.

```
원하는 작업을 선택하세요: D
삭제할 게시글 ID: 100
게시글 100을(를) 찾을 수 없습니다.
```

종료를 선택하면 메시지를 출력하고 프로그램을 종료합니다.

```
--- 블로그 관리 시스템 ---
N. 새 게시글 작성
R. 모든 게시글 조회
V. 특정 게시글 조회
U. 게시글 수정
D. 게시글 삭제
Q. 종료
원하는 작업을 선택하세요: Q
프로그램을 종료합니다.
```

위의 실행 결과와 요구 사항을 참고하여 아래 코드를 완료해 보세요.

```python
from crud_operations import create_post, get_all_posts, get_post,
update_post, delete_post

def display_menu():
    print("\n--- 블로그 관리 시스템 ---")
    print("N. 새 게시글 작성")
    print("R. 모든 게시글 조회")
    print("V. 특정 게시글 조회")
    print("U. 게시글 수정")
    print("D. 게시글 삭제")
```

```python
    print("Q. 종료")

def main():
    while True:
        display_menu()
        choice = input("원하는 작업을 선택하세요: ")

        if choice == 'N':
            # TODO

        elif choice == 'R':
            # TODO

        elif choice == 'V':
            # TODO

        elif choice == 'U':
            # TODO

        elif choice == 'D':
            # TODO

        elif choice == 'Q':
            # TODO

        else:
            # TODO

if __name__ == "__main__":
    main()
```

풀이

https://myanjini.tistory.com/entry/실습-ORM-기반-블로그-애플리케이션

10장 웹 스크래핑

Now is better than never.

웹 스크래핑은 웹 페이지의 정보를 자동화된 방식으로 추출하는 기술로, 데이터 수집, 분석, 연구 등에 널리 활용됩니다. 이 장에서는 파이썬을 사용하여 웹에서 데이터를 수집하는 웹 스크래핑(Web Scraping)에 대해 다룹니다.

웹 스크래핑(Web Scraping) 기초

웹 스크래핑은 웹 페이지에서 데이터를 추출하는 기술입니다. 이를 통해 사용자는 수동으로 데이터를 수집하지 않고 자동화된 방법으로 필요한 정보를 얻을 수 있습니다. 파이썬은 웹 스크래핑을 위한 강력한 라이브러리를 제공하며, 이 중 가장 널리 사용되는 라이브러리는 Requests와 BeautifulSoup 입니다.

웹 스크래핑의 기본 단계

웹 스크래핑은 보통 다음과 같은 단계를 따릅니다:

1) **HTTP 요청 보내기 :** Requests 라이브러리를 사용하여 웹 페이지에 HTTP 요청을 보냅니다.
2) **HTML 응답 파싱 :** BeautifulSoup을 사용하여 웹 페이지의 HTML 응답을 파싱합니다.
3) **데이터 추출 :** 필요한 데이터를 추출합니다.

웹 스크래핑 주의사항

웹 스크래핑을 할 때는 항상 웹사이트의 이용 약관과 로봇 배제 표준을 준수하고, 서버에 과도한 부하를 주지 않도록 주의해야 합니다.

Requests

Requests 라이브러리는 파이썬에서 HTTP 요청을 쉽게 보낼 수 있게 해주는 강력하고 사용하기 쉬운 라이브러리입니다. GET, POST, PUT, DELETE 등 다양한 HTTP 메서드를 지원하며, 헤더 설정, 쿼리 매개변수 사용, 쿠키 및 세션 관리, 파일 업로드 및 다운로드, 인증 등의 기능을 제공합니다. Requests 라이브러리를 활용하면 웹 스크래핑, API 호출, 웹 애플리케이션 테스트 등 다양한 작업을 효율적으로 수행할 수 있습니다.

설치

Requests 라이브러리를 사용하려면 먼저 설치해야 합니다. pip install 명령을 사용하여 설치할 수 있습니다.

```
pip install requests
```

HTTP GET 요청 보내기

HTTP GET 요청은 서버로부터 데이터를 가져올 때 사용됩니다. 다음은 GET 요청을 보내는 예제입니다.

```python
import requests

url = 'https://api.github.com'
response = requests.get(url)

# 응답 상태 코드 확인
print(response.status_code)  # 200

# 응답 본문 출력
print(response.text)
```

requests.get(url) 함수는 지정된 URL로 GET 요청을 보내고, 응답 객체를 반환합니다. response.status_code는 HTTP 응답 상태 코드를 반환합니다. 상태 코드 200은 요청이 성공했음을 의미합니다.

response.text는 응답 본문의 내용을 문자열로 반환합니다.

HTTP POST 요청 보내기

HTTP POST 요청은 서버로 데이터를 전송할 때 사용됩니다. 다음은 POST 요청을 보내는 예제입니다.

```
import requests

url = 'https://httpbin.org/post'
data = {'key': 'value'}
response = requests.post(url, data=data)

# 응답 상태 코드 확인
print(response.status_code)  # 200

# 응답 본문 출력
print(response.json())
```

https://httpbin.org/post는 HTTP POST 요청을 테스트할 수 있는 엔드포인트를 제공합니다. 이 엔드포인트를 사용하여 POST 요청을 보내고, 응답으로 전송한 데이터와 요청 메타데이터를 확인할 수 있습니다.

requests.post(url, data=data) 함수는 지정된 URL로 POST 요청을 보내고, 데이터를 전송합니다.

response.json()은 응답 본문을 JSON 형식으로 반환합니다.

요청 헤더 설정

요청 헤더를 설정하여 서버에 추가 정보를 보낼 수 있습니다. 다음은 요청 헤더를 설정하는 예제입니다.

```python
import requests

url = 'https://api.github.com'
headers = {'User-Agent': 'my-app/0.0.1'}
response = requests.get(url, headers=headers)

# 응답 상태 코드 확인
print(response.status_code)  # 200

# 응답 본문 출력
print(response.text)
```

requests.get(url, headers=headers) 함수는 지정된 URL로 GET 요청을 보내고, 추가적인 헤더 정보를 전송합니다.

쿼리 매개변수 사용

쿼리 매개변수를 사용하여 요청 URL에 추가적인 데이터를 포함시킬 수 있습니다.

다음은 사용자로부터 검색어와 개발 언어를 입력받아 GitHub에서 저장소를 검색하는 파이썬 코드입니다.

GitHub API의 /search/repositories 엔드포인트를 사용하여 저장소를 검색합니다. 사용자로부터 입력받은 검색어와 개발 언어를 쿼리 매개변수로 포함하여 요청을 보냅니다. 검색 결과에서 상위 10개 저장소의 이름, 설명, 별 개수, URL을 출력하고, 검색 결과가 없을 경우 메시지를 출력합니다.

```python
import requests

def get_user_input():
    query = input("검색어: ")
```

```python
    language = input("개발 언어: ")
    return query, language

def search_github_repositories(query, language):
    url = "https://api.github.com/search/repositories"
    params = {
        'q': f'{query}+language:{language}',
        'sort': 'stars',
        'order': 'desc'
    }
    response = requests.get(url, params=params)
    return response.json()

def display_results(results):
    if 'items' in results:
        repositories = results['items']
        for repo in repositories[:10]:  # 상위 10개 결과만 출력
            print(f"Repository Name: {repo['name']}")
            print(f"Description: {repo['description']}")
            print(f"Stars: {repo['stargazers_count']}")
            print(f"URL: {repo['html_url']}")
            print("\n")
    else:
        print("No repositories found.")

def main():
    query, language = get_user_input()
    results = search_github_repositories(query, language)
    display_results(results)

if __name__ == "__main__":
    main()
```

requests.get(url, params=params) 함수는 지정된 URL로 GET 요청을 보내고, 쿼리 매개변수를 포함시킵니다.

쿠키 사용

Requests 라이브러리는 쿠키를 자동으로 관리합니다. 다음은 쿠키를 사용하는
예제입니다.

```python
import requests

url = 'https://httpbin.org/cookies/set/sessioncookie/123456789'
response = requests.get(url)

# 응답 쿠키 확인
print(response.cookies)

# 쿠키를 사용한 요청
url = 'https://httpbin.org/cookies'
response = requests.get(url, cookies=response.cookies)

# 응답 본문 출력
print(response.json())
```

response.cookies는 응답에서 받은 쿠키를 반환하며, **requests.get(url,
cookies=cookies)** 함수는 쿠키를 포함하여 요청을 보냅니다.

파일 업로드

파일을 서버로 업로드할 때는 파일 객체를 포함하여 POST 요청을 보냅니다. 다음은
파일을 업로드하는 예제입니다.

```python
import requests

url = 'https://httpbin.org/post'
files = {'file': open('example.txt', 'rb')}
response = requests.post(url, files=files)
```

```
# 응답 상태 코드 확인
print(response.status_code)  # 200

# 응답 본문 출력
print(response.json())
```

files = {'file': open('example.txt', 'rb')}는 파일 객체를 생성합니다.
requests.post(url, files=files) 함수는 파일을 포함하여 POST 요청을 보냅니다.

파일 다운로드

파일을 서버에서 다운로드할 때는 응답 본문을 파일로 저장합니다. 다음은 파일을 다운로드하는 예제입니다.

```
import requests

url = 'https://httpbin.org/image/png'
response = requests.get(url)

# 파일 저장
with open('image.png', 'wb') as file:
    file.write(response.content)
```

response.content는 응답 본문을 바이너리 데이터로 반환합니다.
with open('image.png', 'wb') as file: file.write(response.content)는 파일을 바이너리 모드로 열고, 응답 데이터를 파일로 저장합니다.

세션 사용

세션 객체를 사용하면 여러 요청 간에 설정을 유지할 수 있습니다. 세션을 사용하면 쿠키, 헤더 등을 지속적으로 사용할 수 있습니다.

```python
import requests

# 세션 객체 생성
session = requests.Session()

# 기본 헤더 설정
session.headers.update({'User-Agent': 'my-app/0.0.1'})

# 첫 번째 요청
response = session.get('https://httpbin.org/headers')
print(response.json())

# 두 번째 요청
response =
session.get('https://httpbin.org/cookies/set/sessioncookie/123456789')
print(response.cookies)

# 세 번째 요청
response = session.get('https://httpbin.org/cookies')
print(response.json())

# 세션 종료
session.close()
```

`requests.Session()`은 세션 객체를 생성합니다.

`session.headers.update({'User-Agent': 'my-app/0.0.1'})`는 세션의 기본 헤더를 설정합니다.

세션을 통해 여러 요청을 보내면 설정이 지속됩니다.

인증

Requests 라이브러리는 다양한 인증 방법을 지원합니다. 다음은 HTTP 기본 인증을 사용하는 예제입니다.

```python
import requests
from requests.auth import HTTPBasicAuth

url = 'https://httpbin.org/basic-auth/user/passwd'
response = requests.get(url, auth=HTTPBasicAuth('user', 'passwd'))

# 응답 상태 코드 확인
print(response.status_code)  # 200

# 응답 본문 출력
print(response.json())
```

HTTPBasicAuth('user', 'passwd')는 기본 인증을 설정합니다.
requests.get(url, auth=HTTPBasicAuth('user', 'passwd')) 함수는 인증 정보를 포함하여 요청을 보냅니다.

실습: 행맨

인터넷 사이트에서 가져온 단어를 제한된 횟수 내에 맞추는 행맨 게임을 작성합니다.

세부 요구사항은 다음과 같습니다.

1. random-word-api를 이용해 무작위 단어를 하나 가져옵니다.

2. 사용자가 추측하는 알파벳을 입력하면, 시도 횟수를 나타내는 그림과 메시지를
   출력합니다.

   단어를 추측하세요: 123   ⟸ 입력값이 알파벳 하나가 아닌 경우
   유효한 문자를 입력하세요.   ⟸ 메시지

```
 -----                        ⟸ 시도 횟수를 나타내는 그림
 ¦   ¦
 ¦
 ¦
 ¦
 ¦
---------


- - - - - - - - -
```

   단어를 추측하세요: e   ⟸ 단어에 있는 알파벳을 입력한 경우

```
 -----
 ¦   ¦
 ¦
 ¦
 ¦
 ¦
---------


- - - E - - - -
```

   단어를 추측하세요: z   ⟸ 단어에 없는 알파벳을 입력한 경우
   틀렸습니다. 이 문자는 단어에 없습니다: Z

```
 -----
 ¦   ¦
 O   ¦
 ¦
 ¦
 ¦
---------
```

```
_ _ _ E _ _ _ _
```

3. 사용자가 단어를 맞추거나 시도 횟수를 다 쓰면 결과를 출력합니다.

단어를 추측하세요: 1

```
L I N E C U T S                        ⇐ 횟수 내에 단어를 맞춘 경우
```

축하합니다! 단어를 맞췄습니다: LINECUTS

단어를 추측하세요: u
틀렸습니다. 이 문자는 단어에 없습니다: U

```
_ I S E _ E S S E S                    ⇐ 횟수 내에 단어를 못 맞춘 경우
```

아쉽게도 졌습니다. 정답은: WISENESSES

소스 코드

```python
import requests
import random

# requests 모듈을 사용해
# random-word-api에서 무작위 단어를 가져와 반환합니다.
def get_random_word():
    # 무작위 단어를 가져오는 random-word-api 엔드포인트
    # https://random-word-api.herokuapp.com/word?number=1

    # TODO
    # random-word-api에서 무작위 단어를 가져오는데 성공하면 단어를 반환
    pass

# tries 값에 따라 행맨 그림을 출력합니다.
def display_hangman(tries):
    stages = [
                """
                   -----
                   ¦   ¦
                   0   ¦
                  /¦\\  ¦
                  / \\  ¦
                       ¦
                ---------
                """,
                """
                   -----
                   ¦   ¦
                   0   ¦
                  /¦\\  ¦
                  /    ¦
                       ¦
                ---------
                """,
                """
                   -----
                   ¦   ¦
                   0   ¦
                  /¦\\  ¦
                       ¦
```

```
                    |
          ---------
          """,
          """
                 ------
               |     |
               0     |
              /|     |
                     |
          ---------
          """,
          """
                 ------
               |     |
               0     |
               |     |
                     |
          ---------
          """,
          """
                 -----
               |     |
               0     |
                     |
                     |
          ---------
          """,
          """
                 -----
               |     |
                     |
                     |
                     |
          ---------
          """
    ]
    return stages[tries]
```

```python
# 게임 로직을 구현합니다.
def play_hangman():
    # word 변수에 get_random_word 함수를 호출해 무작위 단어를 가져옵니다.
    # 단어를 가져오지 못 하면 에러 메시지를 출력하고 함수를 종료합니다.
    word = ""

    # tries 변수는 사용자가 시도할 수 있는 횟수를 나타내며, 초기값은
6입니다.
    tries = 6

    # TD00
    # word 변수를 대문자로 변환합니다.
    # 로직 구현에 사용할 변수를 선언하고 초기화합니다.
    #    correct_letters : 맞춰야 할 단어의 문자 집합
    #    guessed_letters : 사용자가 추측한 문자 집합
    #    guessed_word : 맞춰야 할 단어를 '_'로 초기화한 리스트


    # 게임 시작을 출력하고, 초기 행맨 그림과 단어 상태를 출력합니다.
    print("행맨 게임에 오신 것을 환영합니다!")
    print(display_hangman(tries))
    print(" ".join(guessed_word))
    print("\n")

    # 사용자가 단어를 맞추거나 시도 횟수를 다 쓸 때까지 게임이
진행됩니다.
    while tries > 0 and set(guessed_word) != correct_letters:
        # TODO
        # 사용자 추측을 입력받아 대문자로 변환합니다.

        # 입력한 문자가 유효(한 글자의 알파벳)한지 확인합니다.

            # 이미 추측한 문자이면 메시지를 출력합니다.
            # 맞춘 문자는 guessed_letters에 추가하고,
            # guessed_word를 업데이트합니다.
```

```
                # 틀린 문자는 guessed_letters에 추가하고,
                # tries를 감소합니다.

            # 행맨 그림과 단어 상태를 출력합니다.
            print(display_hangman(tries))
            print(" ".join(guessed_word))
            print("\n")

        # 게임 결과를 출력합니다.
        if set(guessed_word) == correct_letters:
            print("축하합니다! 단어를 맞췄습니다:", word)
        else:
            print("아쉽게도 졌습니다. 정답은:", word)

# 게임을 시작합니다.
if __name__ == "__main__":
    play_hangman()
```

풀이

https://myanjini.tistory.com/entry/실습-행맨

BeautifulSoup

BeautifulSoup은 파이썬에서 HTML 및 XML 문서를 파싱하고 데이터를 추출하는 데 사용되는 라이브러리입니다. 이 라이브러리는 HTML 문서를 트리 구조로 변환하여, 문서 내의 특정 요소를 쉽게 찾고 조작할 수 있게 해줍니다. BeautifulSoup은 HTML 문서를 구문 분석하여 원하는 데이터를 추출하는 작업을 단순화하고 효율적으로 만들어줍니다.

설치

BeautifulSoup을 사용하려면 먼저 설치해야 합니다. `pip install` 명령을 사용하여 설치할 수 있습니다.

```
pip install beautifulsoup4
pip install lxml
```

HTML 파싱

BeautifulSoup을 사용하여 HTML 문서를 파싱하려면, 먼저 HTML 문서를 가져와야 합니다. Requests 라이브러리를 사용하여 웹 페이지에서 HTML을 가져올 수 있습니다.

```python
import requests
from bs4 import BeautifulSoup

url = 'https://example.com'
response = requests.get(url)

# HTML 파싱
soup = BeautifulSoup(response.text, 'lxml')

# 파싱된 HTML 문서 확인
print(soup.prettify()[:500])
```

requests.get(url) 함수는 지정된 URL로 GET 요청을 보내고, 응답 객체를 반환합니다. **BeautifulSoup(response.text, 'lxml')**는 응답 본문을 파싱하고 BeautifulSoup 객체를 생성합니다.

soup.prettify()는 파싱된 HTML 문서를 예쁘게 정렬된 형태로 반환합니다.

태그 탐색

BeautifulSoup을 사용하여 특정 태그를 찾고 탐색할 수 있습니다. 예를 들어, 'h1' 태그와 모든 'a' 태그를 찾는 방법은 다음과 같습니다.

```python
# h1 태그 추출
h1_tag = soup.find('h1')
print(h1_tag.text)

# 모든 링크 추출
links = soup.find_all('a')
for link in links:
    href = link.get('href')
    text = link.text
    print(f'Text: {text}, Href: {href}')
```

soup.find('h1')는 첫 번째 'h1' 태그를 찾고 반환합니다.

soup.find_all('a')는 모든 'a' 태그를 리스트 형태로 반환합니다.

link.get('href')는 'a' 태그의 'href' 속성 값을 반환합니다.

link.text는 'a' 태그의 텍스트 내용을 반환합니다.

CSS 선택자 사용

CSS 선택자를 사용하여 태그를 찾을 수 있습니다. select 메서드를 사용하면 CSS 선택자로 태그를 선택할 수 있습니다.

```python
# CSS 선택자 사용
quotes = soup.select('div.quote span.text')
for quote in quotes:
    print(quote.text)
```

`soup.select('div.quote span.text')`는 'div' 태그 내의 'quote' 클래스를 가진 'span' 태그를 모두 선택합니다.

형제 태그 탐색

형제 태그를 탐색하여 특정 태그의 다음 또는 이전 형제를 찾을 수 있습니다.

```
# 다음 형제 태그 탐색
first_quote = soup.find('div', class_='quote')
next_quote = first_quote.find_next_sibling('div')
print(next_quote.text)
```

`first_quote.find_next_sibling('div')`는 첫 번째 'quote' 태그의 다음 형제 'div' 태그를 찾습니다.

부모 태그 탐색

부모 태그를 탐색하여 특정 태그의 부모를 찾을 수 있습니다.

```
# 부모 태그 탐색
quote_text = soup.find('span', class_='text')
parent_div = quote_text.find_parent('div')
print(parent_div.text)
```

`quote_text.find_parent('div')`는 'text' 클래스를 가진 'span' 태그의 부모 'div' 태그를 찾습니다.

조건부 탐색

조건부 탐색을 통해 특정 속성을 가진 태그를 찾을 수 있습니다.

```
# 조건부 탐색
quote = soup.find('div', class_='quote', text=lambda x: 'life' in
x.lower())
print(quote.text)
```

soup.find('div', class_='quote', text=lambda x: 'life' in x.lower())는
텍스트에 'life'가 포함된 'quote' 클래스를 가진 'div' 태그를 찾습니다.

속성 접근

BeautifulSoup을 사용하여 태그의 속성에 쉽게 접근할 수 있습니다. 예를 들어, 특정
클래스 이름을 가진 태그를 찾는 방법은 다음과 같습니다.

```
# 특정 클래스 이름을 가진 태그 찾기
special_tag = soup.find('div', class_='special')
print(special_tag.text)
```

soup.find('div', class_='special')는 'special' 클래스를 가진 첫 번째 'div' 태그를
찾고 반환합니다.

문서 변형

BeautifulSoup을 사용하여 HTML 문서의 특정 부분을 수정하거나 삭제할 수 있습니다.
예를 들어, 특정 태그를 삭제하는 방법은 다음과 같습니다.

```
# 특정 태그 삭제
for tag in soup.find_all('span'):
    tag.decompose()
```

```
# 수정된 HTML 문서 확인
print(soup.prettify()[:500])
```

tag.decompose()는 태그와 그 내용을 문서에서 완전히 제거합니다.

구문 정리

BeautifulSoup을 사용하여 파싱된 HTML 문서를 예쁘게 정렬된 형태로 출력할 수 있습니다.

```
# 예쁘게 정렬된 HTML 출력
print(soup.prettify())
```

실제 웹 스크래핑 예제

좀 더 실제적인 예제로, 웹 스크래핑 연습 용도로 만들어진 https://quotes.toscrape.com/ 페이지에서 명언과 작가를 추출해 출력해 보겠습니다.

```
import requests
from bs4 import BeautifulSoup

def get_quotes(page_url):
    response = requests.get(page_url)
    if response.status_code != 200:
        print(f"Failed to retrieve data from {page_url}")
        return []

    soup = BeautifulSoup(response.text, 'html.parser')
    quotes = []
    for quote_item in soup.find_all('div', class_='quote'):
        text = quote_item.find('span', class_='text').get_text()
```

```
            author = quote_item.find('small', class_='author').get_text()
            quotes.append({'text': text, 'author': author})
    return quotes

def main():
    base_url = "https://quotes.toscrape.com/page/"
    all_quotes = []

    for page_number in range(1, 11):  # 처음 10 페이지를 스크래핑
        page_url = f"{base_url}{page_number}/"
        quotes = get_quotes(page_url)
        if not quotes:                      # 더 이상 페이지가 없으면 중지
            break
        all_quotes.extend(quotes)

    # 수집한 모든 명언 출력
    for quote in all_quotes:
        print(f"{quote['text']} - {quote['author']}")

if __name__ == "__main__":
    main()
```

get_quotes 함수는 주어진 페이지 URL에서 명언을 가져옵니다. 페이지의 HTML을
파싱하고, 명언과 작가를 추출하여 리스트로 반환합니다. HTTP 응답 상태 코드가 200이
아닌 경우, 빈 리스트를 반환합니다.

main 함수는 기본 URL을 설정하고, 첫 10개의 페이지를 스크래핑합니다. 각 페이지의
URL을 구성하고, get_quotes 함수를 호출해 명언을 수집합니다. 모든 명언을 all_quotes
리스트에 저장하고, 마지막으로 수집한 모든 명언을 출력합니다.

동적 웹 페이지 다루기 (Selenium)

동적 웹 페이지는 자바스크립트를 사용하여 서버와 상호작용하고 실시간으로 데이터를 업데이트합니다. 이러한 페이지는 단순한 HTML 파싱으로는 데이터를 추출하기 어렵습니다. 동적 웹 페이지를 스크래핑하기 위해서는 자바스크립트를 실행하고 웹 페이지와 상호작용할 수 있는 도구가 필요합니다. Selenium은 이러한 작업을 수행하기 위한 강력한 도구입니다.

Selenium

Selenium은 웹 브라우저를 자동화하는 도구로, 자바스크립트를 실행하고 동적 콘텐츠를 처리하는 데 유용합니다. Selenium은 다양한 웹 브라우저를 지원하며, 브라우저를 제어하여 사용자 행동을 자동화할 수 있습니다.

설치

Selenium을 사용하려면 먼저 Selenium 라이브러리와 웹 드라이버를 설치해야 합니다. chromedriver_autoinstaller 라이브러리를 사용하면 ChromeDriver의 설치 및 업데이트를 자동으로 처리할 수 있어, 간편하게 Selenium 환경을 설정할 수 있습니다.

```
pip install selenium
pip install chromedriver_autoinstaller
```

Selenium 설정 및 브라우저 열기

chromedriver_autoinstaller를 사용하여 ChromeDriver를 자동으로 설치하고 브라우저를 엽니다.

```
import chromedriver_autoinstaller
```

```
from selenium import webdriver
from selenium.webdriver.common.by import By
from selenium.webdriver.chrome.options import Options
import time

# ChromeDriver 설치 및 경로 설정
chromedriver_autoinstaller.install()

# Chrome 옵션 설정 (옵션은 필요에 따라 설정)
chrome_options = Options()
chrome_options.add_argument("--headless")  # 브라우저 창 없이 실행

# 브라우저 열기
driver = webdriver.Chrome(options=chrome_options)
```

chromedriver_autoinstaller.install()은 ChromeDriver를 자동으로 설치하거나 업데이트합니다.

webdriver.Chrome(options=chrome_options)는 Chrome 브라우저를 엽니다. headless 옵션을 추가하면 브라우저 창 없이 실행할 수 있습니다.

웹 페이지 열기

브라우저를 열고 원하는 URL로 이동합니다.

```
url = 'https://quotes.toscrape.com/js/'
driver.get(url)
```

driver.get(url)은 지정된 URL로 브라우저를 이동시킵니다.

데이터 추출

브라우저에서 자바스크립트가 실행된 후 데이터를 추출할 수 있습니다. Selenium은 페이지의 요소를 찾고 상호작용하는 다양한 방법을 제공합니다. 여기서는 인용문과 저자를 추출하는 예제를 보여드리겠습니다.

```python
# 페이지 로딩 대기
time.sleep(5)  # 5초 대기 (페이지 로딩 및 자바스크립트 실행 대기)

# 인용문과 저자 추출
quotes = driver.find_elements(By.CLASS_NAME, 'quote')

for quote in quotes:
    text = quote.find_element(By.CLASS_NAME, 'text').text
    author = quote.find_element(By.CLASS_NAME, 'author').text
    print(f'Quote: {text}\nAuthor: {author}\n')
```

time.sleep(5)은 페이지 로딩 및 자바스크립트 실행을 위해 5초 대기합니다.

driver.find_elements(By.CLASS_NAME, 'quote')는 'quote' 클래스를 가진 모든 요소를 찾습니다.

quote.find_element(By.CLASS_NAME, 'text').text는 인용문 텍스트를 찾고 반환합니다.

quote.find_element(By.CLASS_NAME, 'author').text는 저자 이름을 찾고 반환합니다.

브라우저 닫기

모든 작업이 끝나면 브라우저를 닫습니다.

```python
# 브라우저 닫기
driver.quit()
```

driver.quit()은 브라우저를 종료합니다.

동적 웹 페이지는 자바스크립트를 사용하여 데이터를 실시간으로 업데이트하므로, 단순한 HTML 파싱으로는 데이터를 추출하기 어렵습니다. Selenium은 웹 브라우저를 자동화하여 자바스크립트를 실행하고 동적 콘텐츠를 처리하는 데 유용한 도구입니다. chromedriver_autoinstaller 라이브러리를 사용하면 ChromeDriver의 설치와 관리를 자동화할 수 있어 Selenium 환경을 더욱 간편하게 설정할 수 있습니다.

데이터 저장

웹 스크래핑을 통해 수집한 데이터를 효과적으로 저장하고 활용하는 방법은 매우 다양합니다. CSV 파일, JSON 파일, 데이터베이스 등 다양한 방식으로 데이터를 저장할 수 있으며, Pandas, Matplotlib, Scikit-learn 같은 라이브러리를 사용하여 데이터를 분석하고 시각화하며 머신러닝 모델을 훈련할 수 있습니다. 이러한 방법들을 활용하면 수집한 데이터를 더 가치 있게 사용할 수 있습니다.

CSV 파일에 데이터 저장

CSV(Comma-Separated Values) 파일은 데이터를 간단한 텍스트 형식으로 저장하는 방식으로, 각 행이 레코드를 나타내고 각 열이 속성을 나타냅니다. CSV 파일은 대부분의 데이터 분석 도구와 호환되며, 파이썬에서도 쉽게 사용할 수 있습니다.

```
import csv

# 데이터 예시
data = [
```

```
    {'quote': 'The greatest glory in living lies not in never falling,
but in rising every time we fall.', 'author': 'Nelson Mandela'},
    {'quote': 'The way to get started is to quit talking and begin
doing.', 'author': 'Walt Disney'},
    {'quote': 'Your time is limited, so don't waste it living someone
else's life.', 'author': 'Steve Jobs'}
]

# CSV 파일에 데이터 저장
with open('quotes.csv', mode='w', newline='') as file:
    writer = csv.DictWriter(file, fieldnames=['quote', 'author'])
    writer.writeheader()
    for row in data:
        writer.writerow(row)
```

csv.DictWriter는 딕셔너리 형태의 데이터를 CSV 파일에 저장하는 데 사용됩니다.

writer.writeheader()는 CSV 파일의 헤더를 작성합니다.

writer.writerow(row)는 각 데이터 행을 CSV 파일에 작성합니다.

JSON 파일에 데이터 저장

JSON(JavaScript Object Notation) 파일은 구조화된 데이터를 저장하는 데 사용되는 경량 데이터 교환 형식입니다. JSON은 사람이 읽고 쓰기 쉽고, 기계가 구문 분석하고 생성하기 쉬운 텍스트 형식입니다.

```
import json

# 데이터 예시
data = [
    {'quote': 'The greatest glory in living lies not in never falling,
but in rising every time we fall.', 'author': 'Nelson Mandela'},
    {'quote': 'The way to get started is to quit talking and begin
doing.', 'author': 'Walt Disney'},
```

```
    {'quote': 'Your time is limited, so don't waste it living someone
else's life.', 'author': 'Steve Jobs'}
]

# JSON 파일에 데이터 저장
with open('quotes.json', mode='w') as file:
    json.dump(data, file, indent=4)
```

json.dump(data, file, indent=4)는 데이터를 JSON 형식으로 파일에 저장합니다. **indent=4**는 JSON 파일을 들여쓰기로 정렬하여 가독성을 높입니다.

데이터베이스(SQLite)에 데이터 저장

데이터베이스는 대량의 데이터를 저장하고 관리하는 데 적합합니다. SQLite는 파이썬 표준 라이브러리로 제공되는 경량의 파일 기반 데이터베이스로, 웹 스크래핑 데이터를 저장하는 데 유용합니다.

```
import sqlite3

# 데이터베이스 연결 및 테이블 생성
conn = sqlite3.connect('quotes.db')
cursor = conn.cursor()

cursor.execute('''
CREATE TABLE IF NOT EXISTS quotes (
    id INTEGER PRIMARY KEY AUTOINCREMENT,
    quote TEXT NOT NULL,
    author TEXT NOT NULL
)
''')

# 데이터 예시
data = [
```

```
    {'quote': 'The greatest glory in living lies not in never falling,
but in rising every time we fall.', 'author': 'Nelson Mandela'},
    {'quote': 'The way to get started is to quit talking and begin
doing.', 'author': 'Walt Disney'},
    {'quote': 'Your time is limited, so don't waste it living someone
else's life.', 'author': 'Steve Jobs'}
]

# 데이터 삽입
for row in data:
    cursor.execute('''
    INSERT INTO quotes (quote, author) VALUES (?, ?)
    ''', (row['quote'], row['author']))

# 변경사항 저장 및 연결 종료
conn.commit()
conn.close()
```

sqlite3.connect('quotes.db')는 SQLite 데이터베이스 파일에 연결합니다.
cursor.execute(...)는 SQL 명령을 실행하고, conn.commit()는 변경사항을 저장하고,
conn.close()는 데이터베이스 연결을 종료합니다.

데이터 활용

저장된 데이터를 활용하는 방법은 여러 가지가 있습니다. 데이터 분석, 시각화, 머신러닝
모델 훈련 등 다양한 활용 방법이 있습니다.

데이터 분석

파이썬의 Pandas 라이브러리는 데이터를 조작하고 분석하는 데 매우 유용합니다.
Pandas를 사용하여 CSV 파일이나 JSON 파일의 데이터를 로드하고 분석할 수 있습니다.

```python
import pandas as pd

# CSV 파일에서 데이터 로드
data_csv = pd.read_csv('quotes.csv')
print(data_csv)

# JSON 파일에서 데이터 로드
data_json = pd.read_json('quotes.json')
print(data_json)

# 데이터 분석 예제
print("저자별 인용문 수:")
print(data_csv['author'].value_counts())
```

pd.read_csv('quotes.csv')는 CSV 파일의 데이터를 DataFrame으로 로드합니다.
pd.read_json('quotes.json')는 JSON 파일의 데이터를 DataFrame으로 로드합니다.
data_csv['author'].value_counts()는 각 저자가 작성한 인용문의 수를 계산합니다.

데이터 시각화

Matplotlib과 Seaborn 같은 라이브러리를 사용하여 데이터를 시각화할 수 있습니다. 이를
통해 데이터를 더 직관적으로 이해할 수 있습니다.

```python
# Matplotlib를 사용한 데이터 시각화
import pandas as pd
import matplotlib.pyplot as plt
```

```
# CSV 파일에서 데이터 로드
data_csv = pd.read_csv('quotes.csv')

# 저자별 인용문 수 시각화
author_counts = data_csv['author'].value_counts()
author_counts.plot(kind='bar')

plt.xlabel('Author')
plt.ylabel('Number of Quotes')
plt.title('Number of Quotes per Author')
plt.show()
```

author_counts.plot(kind='bar') 는 저자별 인용문 수를 막대 그래프로 시각화합니다.
plt.show() 는 그래프를 표시합니다.

머신러닝 모델 훈련

저장된 데이터를 머신러닝 모델의 훈련 데이터로 사용할 수 있습니다. Scikit-learn 같은 라이브러리를 사용하여 데이터를 전처리하고 모델을 훈련할 수 있습니다.

```
# Scikit-learn을 사용한 데이터 전처리 및 모델 훈련
import pandas as pd
from sklearn.feature_extraction.text import CountVectorizer
from sklearn.model_selection import train_test_split
from sklearn.naive_bayes import MultinomialNB
from sklearn.metrics import accuracy_score

# CSV 파일에서 데이터 로드
data_csv = pd.read_csv('quotes.csv')

# 텍스트 데이터를 벡터화
vectorizer = CountVectorizer()
X = vectorizer.fit_transform(data_csv['quote'])
```

```
y = data_csv['author']

# 데이터 분할
X_train, X_test, y_train, y_test = train_test_split(X, y, test_size=0.2,
random_state=42)

# 모델 훈련
model = MultinomialNB()
model.fit(X_train, y_train)

# 예측 및 정확도 평가
y_pred = model.predict(X_test)
accuracy = accuracy_score(y_test, y_pred)
print(f'Accuracy: {accuracy:.2f}')
```

CountVectorizer는 텍스트 데이터를 벡터화하고, **train_test_split**는 데이터를 훈련 세트와 테스트 세트로 분할합니다. **MultinomialNB**는 나이브 베이즈 분류 모델을 생성하고, **accuracy_score**는 모델의 정확도를 평가합니다.

종합 : 웹 스크래핑, 분석 및 시각화 코드 작성

requests와 BeautifulSoup을 사용하여 https://quotes.toscrape.com 사이트에서 명언을 스크래핑하고, pandas 데이터프레임으로 변환한 후, matplotlib을 사용하여 데이터를 시각화하는 코드를 작성합니다.

필요한 라이브러리를 설치합니다.

```
pip install requests beautifulsoup4 pandas matplotlib
```

```python
import requests
from bs4 import BeautifulSoup
import pandas as pd
import matplotlib.pyplot as plt


# 웹 스크래핑: 명언과 작가를 추출하여 리스트로 반환
def get_quotes(page_url):
    response = requests.get(page_url)
    if response.status_code != 200:
        print(f"Failed to retrieve data from {page_url}")
        return []

    soup = BeautifulSoup(response.text, 'html.parser')
    quotes = []
    for quote_item in soup.find_all('div', class_='quote'):
        text = quote_item.find('span', class_='text').get_text()
        author = quote_item.find('small', class_='author').get_text()
        quotes.append({'text': text, 'author': author})
    return quotes


# 스크래핑 결과 수집: get_quotes 함수를 호출해 각 페이지의 명언을 수집
def scrape_quotes():
    base_url = "https://quotes.toscrape.com/page/"
    all_quotes = []

    for page_number in range(1, 11):
        page_url = f"{base_url}{page_number}/"
        quotes = get_quotes(page_url)
        if not quotes:
            break
        all_quotes.extend(quotes)

    return all_quotes


# 작가별 명언 수를 막대 그래프로 시각화
def visualize_data(author_counts):
```

```python
    plt.figure(figsize=(10, 6))
    author_counts.plot(kind='bar')
    plt.title('Number of Quotes by Author')
    plt.xlabel('Author')
    plt.ylabel('Number of Quotes')
    plt.xticks(rotation=45)
    plt.tight_layout()
    plt.show()

def main():
    quotes = scrape_quotes()

    # DataFrame으로 변환
    df = pd.DataFrame(quotes)

    # 작가별 명언 수 카운트
    author_counts = df['author'].value_counts()
    print("작가별 명언 수:")
    print(author_counts)

    # 시각화
    visualize_data(author_counts)

    # 데이터프레임 저장
    df.to_csv('quotes.csv', index=False)

if __name__ == "__main__":
    main()
```

실행 결과

```
작가별 명언 수:
author
Albert Einstein       10
J.K. Rowling           9
Marilyn Monroe         7
```

```
Dr. Seuss              6
Mark Twain             6
Jane Austen            5
        ... (생략) ...
Jimi Hendrix           1
J.M. Barrie            1
E.E. Cummings          1
Khaled Hosseini        1
Harper Lee             1
Madeleine L'Engle      1
Name: count, dtype: int64
```

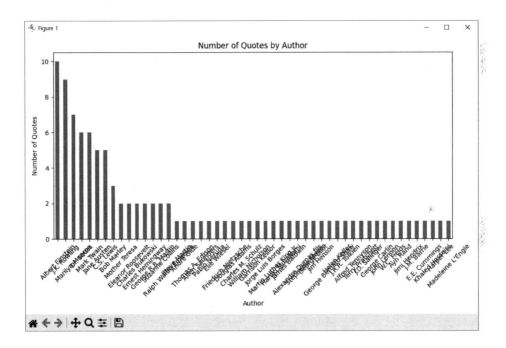

11장 데이터 분석

If the implementation is hard to explain, it's a bad idea.

데이터 분석은 다양한 데이터를 수집, 정리, 처리하여 유의미한 정보를 추출하고 의사결정을 돕는 중요한 과정입니다. 이 장에서는 데이터 분석의 기본 개념과 함께, 파이썬에서 널리 사용되는 데이터 분석 라이브러리인 Pandas, NumPy, Matplotlib 등을 소개합니다.

Numpy

NumPy(Numerical Python)는 파이썬에서 과학 계산과 데이터 분석을 위한 강력한 도구입니다. 배열 생성, 배열의 속성 확인, 인덱싱 및 슬라이싱, 배열 연산, 배열 형태 변경 등 다양한 기능을 제공하여 데이터를 효율적으로 처리할 수 있습니다. 예제와 함께 NumPy의 기본 사용법을 이해하고 활용해 보도록 하겠습니다.

설치

NumPy를 사용하려면 먼저 설치해야 합니다. pip install 명령으로 설치할 수 있습니다.

```
pip install numpy
```

배열 직접 생성

NumPy 배열은 동종의 데이터 타입을 가지는 다차원 배열입니다. 리스트를 사용하여 NumPy 배열을 직접 생성할 수 있습니다.

```python
import numpy as np

# 1차원 배열 생성
arr1 = np.array([1, 2, 3, 4, 5])
print("1차원 배열")
print(arr1)

# 2차원 배열 생성
arr2 = np.array([[1, 2, 3], [4, 5, 6]])
print("2차원 배열")
print(arr2)

# 실행 결과
```

```
# 1차원 배열
# [1 2 3 4 5]
# 2차원 배열
# [[1 2 3]
#  [4 5 6]]
```

np.array는 주어진 리스트를 NumPy 배열로 변환합니다.

특정 값으로 초기화된 배열 생성

zeros, ones, full 함수를 사용하여 특정 값으로 초기화된 배열을 생성할 수 있습니다.

```
# 0으로 초기화된 배열 생성
zeros_arr = np.zeros((3, 4))
print("0으로 초기화된 배열")
print(zeros_arr)

# 1로 초기화된 배열 생성
ones_arr = np.ones((2, 3))
print("1로 초기화된 배열")
print(ones_arr)

# 특정 값으로 초기화된 배열 생성
full_arr = np.full((2, 2), 7)
print("특정 값으로 초기화된 배열")
print(full_arr)

# 실행 결과
# 0으로 초기화된 배열
# [[0. 0. 0. 0.]
#  [0. 0. 0. 0.]
#  [0. 0. 0. 0.]]
# 1로 초기화된 배열
# [[1. 1. 1.]
```

```
#  [1. 1. 1.]]
# 특정 값으로 초기화된 배열
# [[7 7]
#  [7 7]]
```

np.zeros(shape)는 주어진 형태(shape)의 배열을 생성하고, 모든 요소를 0으로 초기화하고, np.ones(shape)는 주어진 형태(shape)의 배열을 생성하고, 모든 요소를 1로 초기화합니다. np.full(shape, value)는 주어진 형태(shape)의 배열을 생성하고, 모든 요소를 주어진 값(value)으로 초기화합니다.

연속된 값으로 배열 생성

arange, linspace 함수를 사용하여 연속된 값을 가진 배열을 생성할 수 있습니다.

```
# 범위 내의 연속된 값으로 배열 생성
range_arr = np.arange(0, 10, 2)
print("연속된 값으로 배열 생성")
print(range_arr)

# 균등 간격으로 배열 생성
linspace_arr = np.linspace(0, 1, 5)
print("균등 간격으로 배열 생성")
print(linspace_arr)

# 실행 결과
# 연속된 값으로 배열 생성
# [0 2 4 6 8]
# 균등 간격으로 배열 생성
# [0.   0.25 0.5  0.75 1.  ]
```

np.arange(start, stop, step)는 주어진 범위 내에서 일정 간격(step)으로 연속된 값을 가지는 배열을 생성하며, **np.linspace(start, stop, num)**는 시작과 끝 사이를 균등한 간격으로 나눈 값을 가지는 배열을 생성합니다.

배열 속성

NumPy 배열은 다양한 속성을 가지고 있습니다. 배열의 형태, 크기, 데이터 타입 등을 확인할 수 있습니다.

```
arr = np.array([[1, 2, 3], [4, 5, 6]])

print("배열의 형태:", arr.shape)
print("배열의 크기:", arr.size)
print("배열의 차원:", arr.ndim)
print("배열의 데이터 타입:", arr.dtype)

# 실행 결과
# 배열의 형태: (2, 3)
# 배열의 크기: 6
# 배열의 차원: 2
# 배열의 데이터 타입: int64
```

arr.shape는 배열의 형태(행, 열)를, **arr.size**는 배열의 총 요소 개수를, **arr.ndim**는 배열의 차원을, **arr.dtype**는 배열의 데이터 타입을 반환합니다.

배열 인덱싱

배열의 특정 요소에 접근할 수 있습니다.

```
arr = np.array([10, 20, 30, 40, 50])
```

```
print("첫번째 요소:", arr[0])
print("마지막 요소:", arr[-1])

# 실행 결과
# 첫번째 요소: 10
# 마지막 요소: 50
```

arr[index]는 지정된 인덱스의 요소를 반환합니다.

배열 슬라이싱

배열의 부분 배열을 추출할 수 있습니다.

```
arr = np.array([10, 20, 30, 40, 50])

print("첫번째부터 세번째까지:", arr[0:3])
print("세번째부터 끝까지:", arr[2:])
print("처음부터 두번째 전까지:", arr[:2])

# 실행 결과
# 첫번째부터 세번째까지: [10 20 30]
# 세번째부터 끝까지: [30 40 50]
# 처음부터 두번째 전까지: [10 20]
```

arr[start:stop]은 지정된 범위의 부분 배열을 반환합니다.

다차원 배열 인덱싱 및 슬라이싱

다차원 배열에서 특정 요소와 부분 배열에 접근할 수 있습니다.

```
arr = np.array([[1, 2, 3], [4, 5, 6], [7, 8, 9]])
```

```
print("첫번째 행:", arr[0])
print("두번째 열:", arr[:, 1])
print("첫번째 두개의 요소:", arr[0, 0:2])
print("하위 배열:\n", arr[1:3, 1:3])

# 실행 결과
# 첫번째 행: [1 2 3]
# 두번째 열: [2 5 8]
# 첫번째 두개의 요소: [1 2]
# 하위 배열:
#  [[5 6]
#   [8 9]]
```

arr[row, col]은 지정된 위치의 요소를, arr[:, col]은 지정된 열의 모든 행을, arr[row, :] 또는 arr[row]는 지정된 행의 모든 열을, arr[start_row:end_row, start_col:end_col]은 지정된 범위의 하위 배열을 반환합니다.

배열 기본 연산

NumPy는 배열 간의 연산을 효율적으로 수행할 수 있도록 다양한 연산자를 제공합니다. 배열 간의 덧셈, 뺄셈, 곱셈, 나눗셈 등의 기본 연산을 수행할 수 있습니다.

```
arr1 = np.array([1, 2, 3])
arr2 = np.array([4, 5, 6])

print("배열의 덧셈:", arr1 + arr2)
print("배열의 뺄셈:", arr1 - arr2)
print("배열의 곱셈:", arr1 * arr2)
print("배열의 나눗셈:", arr1 / arr2)

# 실행 결과
# 배열의 덧셈: [5 7 9]
```

```
# 배열의 뺄셈: [-3 -3 -3]
# 배열의 곱셈: [ 4 10 18]
# 배열의 나눗셈: [0.25 0.4  0.5 ]
```

arr1 + arr2는 배열의 요소별 덧셈을, **arr1 - arr2**는 배열의 요소별 뺄셈을, **arr1 * arr2**는 배열의 요소별 곱셈을, **arr1 / arr2**는 배열의 요소별 나눗셈을 수행합니다.

유니버설 함수

NumPy는 수학적 함수들을 제공하여 배열의 각 요소에 적용할 수 있습니다.

```
arr = np.array([1, 4, 9, 16])

print("제곱근:", np.sqrt(arr))
print("자연로그:", np.log(arr))
print("사인:", np.sin(arr))

# 실행 결과
# 제곱근: [1. 2. 3. 4.]
# 자연로그: [0.         1.38629436 2.19722458 2.77258872]
# 사인: [ 0.84147098 -0.7568025   0.41211849 -0.28790332]
```

np.sqrt(arr)는 배열의 각 요소에 대해 제곱근을, **np.log(arr)**는 배열의 각 요소에 대해 자연 로그를, **np.sin(arr)**는 배열의 각 요소에 대해 사인 값을 계산합니다.

배열 형태 변경

reshape 함수를 사용하여 배열의 형태를 변경할 수 있습니다.

```
arr = np.array([[1, 2, 3], [4, 5, 6], [7, 8, 9]])
```

```
reshaped_arr = arr.reshape((1, 9))
print("변경된 배열 : ", reshaped_arr)

# 실행 결과
# 변경된 배열 : [[1 2 3 4 5 6 7 8 9]]
```

arr.reshape(shape)는 배열의 형태를 지정된 형태로 변경합니다.

배열 평탄화

flatten 함수를 사용하여 다차원 배열을 1차원 배열로 평탄화할 수 있습니다.

```
arr = np.array([[1, 2, 3], [4, 5, 6]])

flattened_arr = arr.flatten()
print("평탄화된 배열 : ", flattened_arr)

# 실행 결과
# 평탄화된 배열 : [1 2 3 4 5 6]
```

arr.flatten()는 다차원 배열을 1차원 배열로 평탄화합니다.

Pandas

Pandas는 데이터 분석과 조작을 위한 강력한 도구로, 다양한 데이터 구조와 기능을 제공합니다. Series와 DataFrame을 사용하여 데이터를 효율적으로 처리하고 분석할 수 있습니다. Pandas의 기본 사용법을 이해하면 데이터를 쉽게 조작하고 분석할 수 있으며, 파일 입출력 기능을 통해 데이터를 저장하고 불러올 수 있습니다.

설치

먼저 Pandas를 설치해야 합니다. `pip install` 명령을 사용하여 설치할 수 있습니다.

```
pip install pandas
```

Pandas Series

Series는 인덱스를 가진 1차원 배열입니다. 다음 예제에서는 Pandas Series를 생성하고 사용하는 방법을 설명합니다.

Series는 리스트, 배열, 딕셔너리 등을 사용하여 생성할 수 있습니다.

```python
import pandas as pd

# 리스트를 사용하여 Series 생성
s1 = pd.Series([1, 2, 3, 4, 5])
print("리스트를 사용한 Series")
print(s1)

# 배열을 사용하여 Series 생성
import numpy as np
s2 = pd.Series(np.array([10, 20, 30, 40, 50]))
print("배열을 사용한 Series")
print(s2)

# 딕셔너리를 사용하여 Series 생성
s3 = pd.Series({'a': 100, 'b': 200, 'c': 300})
print("딕셔너리를 사용한 Series")
print(s3)
```

```
# 실행 결과
# 리스트를 사용한 Series
# 0    1
# 1    2
# 2    3
# 3    4
# 4    5
# dtype: int64
# 배열을 사용한 Series
# 0    10
# 1    20
# 2    30
# 3    40
# 4    50
# dtype: int64
# 딕셔너리를 사용한 Series
# a    100
# b    200
# c    300
# dtype: int64
```

Series는 값, 인덱스, 데이터 타입을 속성으로 제공합니다.

```
print("값:", s1.values)
print("인덱스:", s1.index)
print("데이터 타입:", s1.dtype)

# 실행 결과
# 값: [1 2 3 4 5]
# 인덱스: RangeIndex(start=0, stop=5, step=1)
# 데이터 타입: int64
```

s1.values는 Series의 값들을 반환하고, **s1.index**는 Series의 인덱스를 반환합니다.
s1.dtype는 Series의 데이터 타입을 반환합니다.

Series 간의 연산을 수행할 수 있습니다.

```
s4 = pd.Series([1, 2, 3])
s5 = pd.Series([10, 20, 30])

print("덧셈")
print(s4 + s5)
print("뺄셈")
print(s4 - s5)
print("곱셈")
print(s4 * s5)
print("나눗셈")
print(s4 / s5)

# 실행 결과
# 덧셈
# 0    11
# 1    22
# 2    33
# dtype: int64
# 뺄셈
# 0    -9
# 1    -18
# 2    -27
# dtype: int64
# 곱셈
# 0    10
# 1    40
# 2    90
# dtype: int64
# 나눗셈
# 0    0.1
# 1    0.1
# 2    0.1
# dtype: float64
```

Pandas DataFrame

DataFrame은 행과 열로 구성된 2차원 배열입니다. DataFrame은 엑셀 스프레드시트나 SQL 테이블과 유사한 형태를 가지고 있습니다. 다음 예제에서는 Pandas DataFrame을 생성하고 사용하는 방법을 설명합니다.

리스트, 딕셔너리, 배열 등을 사용하여 DataFrame을 생성할 수 있습니다.

```python
import pandas as pd
import numpy as np

# 리스트를 사용하여 DataFrame 생성
data1 = [
    [1, 'Alice', 25],
    [2, 'Bob', 30],
    [3, 'Charlie', 35]
]
df1 = pd.DataFrame(data1, columns=['ID', 'Name', 'Age'])
print("리스트를 사용한 DataFrame")
print(df1)

# 딕셔너리를 사용하여 DataFrame 생성
data2 = {
    'ID': [1, 2, 3],
    'Name': ['Alice', 'Bob', 'Charlie'],
    'Age': [25, 30, 35]
}
df2 = pd.DataFrame(data2)
print("딕셔너리를 사용한 DataFrame")
print(df2)

# 배열을 사용하여 DataFrame 생성
data3 = np.array([
```

```
    [1, 'Alice', 25],
    [2, 'Bob', 30],
    [3, 'Charlie', 35]
])
df3 = pd.DataFrame(data3, columns=['ID', 'Name', 'Age'])
print("배열을 사용한 DataFrame")
print(df3)

# 실행 결과
# 리스트를 사용한 DataFrame
#    ID    Name  Age
# 0   1   Alice   25
# 1   2     Bob   30
# 2   3  Charlie  35
# 딕셔너리를 사용한 DataFrame
#    ID    Name  Age
# 0   1   Alice   25
# 1   2     Bob   30
# 2   3  Charlie  35
# 배열을 사용한 DataFrame
#    ID    Name Age
# 0   1   Alice  25
# 1   2     Bob  30
# 2   3  Charlie 35
```

DataFrame의 열 이름, 행 인덱스, 값, 각 열의 데이터 타입을 속성으로 확인할 수 있습니다.

```
print("컬럼명:", df1.columns)
print("인덱스:", df1.index)
print("값:\n", df1.values)
print("데이터 타입:\n", df1.dtypes)

# 실행 결과
```

```
# 컬럼명: Index(['ID', 'Name', 'Age'], dtype='object')
# 인덱스: RangeIndex(start=0, stop=3, step=1)
# 값:
#  [[1 'Alice' 25]
#   [2 'Bob' 30]
#   [3 'Charlie' 35]]
# 데이터 타입:
# ID         int64
# Name      object
# Age        int64
# dtype: object
```

df1.columns는 DataFrame의 열 이름을 반환하고, **df1.index**는 DataFrame의 행 인덱스를 반환합니다.

df1.values는 DataFrame의 값을 배열 형태로 반환하고, **df1.dtypes**는 DataFrame의 각 열의 데이터 타입을 반환합니다.

열을 선택하여 Series나 DataFrame 형태로 추출할 수 있습니다.

```
print("단일 열 선택:\n", df1['Name'])
print("다중 열 선택:\n", df1[['Name', 'Age']])

# 실행 결과
# 단일 열 선택:
# 0      Alice
# 1        Bob
# 2    Charlie
# Name: Name, dtype: object
# 다중 열 선택:
#       Name  Age
# 0    Alice   25
# 1      Bob   30
# 2  Charlie   35
```

df1['Name']은 단일 열을 Series로 반환하고, **df1[['Name', 'Age']]**은 다중 열을 DataFrame으로 반환합니다.

행을 선택하여 Series나 DataFrame 형태로 추출할 수 있습니다.

```
print("단일 행 선택 (iloc):\n", df1.iloc[1])
print("다중 행 선택 (iloc):\n", df1.iloc[0:2])

print("단일 행 선택 (loc):\n", df1.loc[1])
print("다중 행 선택 (loc):\n", df1.loc[0:2])

# 실행 결과
# 단일 행 선택 (iloc):
# ID        2
# Name    Bob
# Age      30
# Name: 1, dtype: object
# 다중 행 선택 (iloc):
#    ID   Name  Age
# 0   1  Alice   25
# 1   2    Bob   30
# 단일 행 선택 (loc):
# ID        2
# Name    Bob
# Age      30
# Name: 1, dtype: object
# 다중 행 선택 (loc):
#    ID     Name  Age
# 0   1    Alice   25
# 1   2      Bob   30
# 2   3  Charlie   35
```

df1.iloc[1]은 위치 기반 인덱싱으로 단일 행을 Series로 반환합니다.

df1.iloc[0:2]은 위치 기반 인덱싱으로 다중 행을 DataFrame으로 반환합니다.

df1.loc[1]은 라벨 기반 인덱싱으로 단일 행을 Series로 반환합니다.

df1.loc[0:2]는 라벨 기반 인덱싱으로 다중 행을 DataFrame으로 반환합니다.

조건에 맞는 행을 선택할 수 있습니다.

```
print("나이가 30 이상인 행 선택:\n", df1[df1['Age'] >= 30])

# 실행 결과
# 나이가 30 이상인 행 선택:
#    ID    Name  Age
# 1   2     Bob   30
# 2   3 Charlie   35
```

df1[df1['Age'] >= 30]은 조건을 만족하는 행을 DataFrame으로 반환합니다.

DataFrame 연산

Pandas는 다양한 데이터 연산 기능을 제공합니다.

DataFrame의 기본 연산을 수행할 수 있습니다.

```
df1['Age'] += 1
print("나이 1 증가:\n", df1)

# 실행 결과
# 나이 1 증가:
#    ID    Name  Age
# 0   1   Alice   26
# 1   2     Bob   31
# 2   3 Charlie   36
```

df1['Age'] += 1은 'Age' 열의 모든 값을 1씩 증가시킵니다.

Pandas는 다양한 통계 함수를 제공합니다.

```
print("평균 나이:", df1['Age'].mean())
print("나이의 합계:", df1['Age'].sum())
print("최대 나이:", df1['Age'].max())
print("최소 나이:", df1['Age'].min())

# 실행 결과
# 평균 나이: 31.0
# 나이의 합계: 93
# 최대 나이: 36
# 최소 나이: 26
```

df1['Age'].mean()은 'Age' 열의 평균을 계산합니다.

df1['Age'].sum()은 'Age' 열의 합계를 계산합니다.

df1['Age'].max()은 'Age' 열의 최대값을 계산합니다.

df1['Age'].min()은 'Age' 열의 최소값을 계산합니다.

DataFrame 조작

DataFrame을 조작하는 다양한 방법을 설명합니다.

새로운 열을 추가할 수 있습니다.

```
df1['Salary'] = [50000, 60000, 70000]
print("새로운 열 추가:\n", df1)

# 실행 결과
```

```
# 새로운 열 추가:
#    ID     Name  Age  Salary
# 0   1    Alice   26   50000
# 1   2      Bob   31   60000
# 2   3  Charlie   36   70000
```

df1['Salary'] = [50000, 60000, 70000]은 'Salary'라는 새로운 열을 추가합니다.

열을 삭제할 수 있습니다.

```
df1 = df1.drop('Salary', axis=1)
print("열 삭제:\n", df1)

# 실행 결과
# 열 삭제:
#    ID     Name  Age
# 0   1    Alice   26
# 1   2      Bob   31
# 2   3  Charlie   36
```

df1.drop('Salary', axis=1)은 'Salary' 열을 삭제합니다.

새로운 행을 추가할 수 있습니다.

```
new_row = pd.DataFrame([[4, 'David', 40]], columns=['ID', 'Name', 'Age'])
df1 = pd.concat([df1, new_row], ignore_index=True)
print("새로운 행 추가:\n", df1)

# 실행 결과
# 새로운 행 추가:
#    ID     Name  Age
# 0   1    Alice   26
```

```
# 1   2      Bob   31
# 2   3   Charlie   36
# 3   4     David   40
```

pd.concat([df1,   new_row],   ignore_index=True)은   새로운   행을   추가하여
DataFrame을 확장합니다.

행을 삭제할 수 있습니다.

```
df1 = df1.drop(3, axis=0)
print("행 삭제:\n", df1)

# 실행 결과
# 행 삭제:
#    ID    Name  Age
# 0   1   Alice   26
# 1   2     Bob   31
# 2   3 Charlie   36
```

df1.drop(3, axis=0)은 인덱스가 3인 행을 삭제합니다.

파일 입출력

Pandas는 CSV, Excel, SQL, JSON 등 다양한 형식의 파일로 데이터를 읽고 쓸 수
있습니다.

CSV(Comma-Separated Values) 파일은 데이터를 쉼표로 구분하여 저장하는 텍스트
파일입니다. pandas는 CSV 파일을 읽고 쓰는 데 매우 유용한 기능을 제공합니다.

```
# CSV 파일에 DataFrame 저장
```

```
df1.to_csv('data.csv', index=False)

# CSV 파일에서 DataFrame 읽기
df2 = pd.read_csv('data.csv')
print("CSV 파일에서 읽은 DataFrame:\n", df2)

# 실행 결과
#    ID     Name  Age
# 0   1    Alice   26
# 1   2      Bob   31
# 2   3  Charlie   36
```

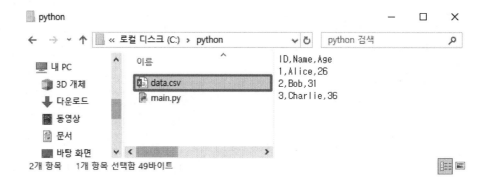

df1.to_csv('data.csv', index=False)는 DataFrame을 CSV 파일로 저장하며, **pd.read_csv('data.csv')**는 CSV 파일에서 DataFrame을 읽습니다.

Excel 파일은 스프레드시트 데이터를 저장하는 데 사용됩니다. pandas는 Excel 파일을 읽고 쓸 수 있는 기능을 제공합니다.

```
# Excel 파일에 DataFrame 저장
df1.to_excel('data.xlsx', index=False)

# Excel 파일에서 DataFrame 읽기
```

```
df2 = pd.read_excel('data.xlsx')
print("Excel 파일에서 읽은 DataFrame:\n", df2)

# 실행 결과
# Excel 파일에서 읽은 DataFrame:
#    ID    Name   Age
# 0   1   Alice    26
# 1   2     Bob    31
# 2   3  Charlie   36
```

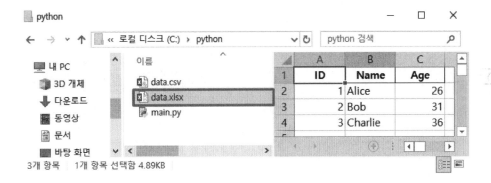

df1.to_excel('data.xlsx', index=False)는 DataFrame을 Excel 파일로 저장하며,
pd.read_excel('data.xlsx')는 Excel 파일에서 DataFrame을 읽습니다.

JSON(JavaScript Object Notation) 파일은 데이터를 구조화된 텍스트 형식으로
저장하는 파일입니다. pandas는 JSON 파일을 읽고 쓸 수 있는 기능을 제공합니다.

```
# JSON 파일에 DataFrame 저장
df1.to_json('data.json', orient='records')

# JSON 파일에서 DataFrame 읽기
df2 = pd.read_json('data.json')
print("JSON 파일에서 읽은 DataFrame:\n", df2)
```

```
# 실행 결과
# JSON 파일에서 읽은 DataFrame:
#    ID     Name  Age
# 0   1    Alice   26
# 1   2      Bob   31
# 2   3  Charlie   36
```

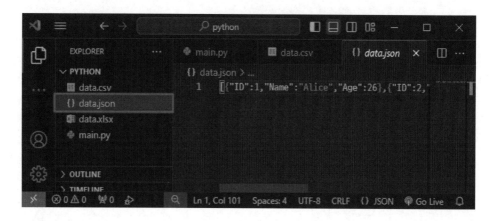

to_json 메소드는 데이터프레임을 JSON 파일로 저장합니다. **orient='records'** 옵션을 사용하면 각 행이 독립적인 JSON 객체로 저장됩니다.

Pandas는 데이터 분석과 조작을 위한 강력한 도구로, 다양한 데이터 구조와 기능을 제공합니다. Series와 DataFrame을 사용하여 데이터를 효율적으로 처리하고 분석할 수 있습니다. Pandas의 기본 사용법을 이해하면 데이터를 쉽게 조작하고 분석할 수 있으며, 파일 입출력 기능을 통해 데이터를 저장하고 불러올 수 있습니다.

Matplotlib

Matplotlib(https://matplotlib.org/)는 파이썬에서 데이터 시각화를 위한 강력한 라이브러리입니다. 다양한 유형의 플롯(그래프)을 생성할 수 있으며, 데이터 분석 및 시각화에 널리 사용됩니다. 여기서는 Matplotlib의 기본 사용법과 함께 다양한 플롯을 생성하는 방법에 대해 알아 보겠습니다.

설치

Matplotlib를 사용하려면 먼저 설치해야 합니다. `pip install` 명령을 사용하여 설치할 수 있습니다.

```
pip install matplotlib
```

기본 플롯 1. 선 그래프

선 그래프(line graph)는 데이터 포인트를 직선으로 연결하여 시간의 경과에 따른 데이터의 변화를 시각적으로 표현하는 데 사용되는 그래프입니다. Matplotlib 라이브러리를 사용하여 선 그래프를 생성하고, 다양한 설정을 추가해 보겠습니다.

```
import matplotlib.pyplot as plt
```

먼저 matplotlib.pyplot 모듈을 plt라는 이름으로 임포트합니다. 이 모듈은 MATLAB과 유사한 형태로 다양한 그래프를 그릴 수 있는 함수들을 제공합니다.

```
x = [1, 2, 3, 4, 5]
y = [10, 20, 25, 30, 35]
```

그래프의 x축과 y축 데이터 포인트를 나타내는 x와 y라는 두 개의 리스트를 생성합니다.

```
plt.plot(x, y, label='Line 1')
```

plt.plot 함수를 사용하여 선 그래프를 생성합니다. x와 y 데이터를 인수로 전달하며, label 인수를 사용하여 이 선의 이름을 'Line 1'으로 설정합니다. 이 레이블은 범례에 사용됩니다.

```
plt.title('Simple Line Plot')
```

plt.title 함수를 사용하여 그래프의 제목을 'Simple Line Plot'으로 설정합니다.

```
plt.xlabel('X-axis')
plt.ylabel('Y-axis')
```

x축과 y축 레이블을 설정합니다.

```
plt.legend()
```

plt.legend 함수를 호출하여 범례를 추가합니다. 범례는 label 인수를 통해 설정한 이름을 표시합니다.

```
plt.show()
```

plt.show 함수를 호출하여 그래프를 화면에 표시합니다. 이.함수는 모든 설정이 완료된 그래프를 출력합니다.

전체 소스 코드와 실행 결과는 다음과 같습니다.

전체 코드

```
import matplotlib.pyplot as plt
```

```
# 데이터 준비
x = [1, 2, 3, 4, 5]
y = [10, 20, 25, 30, 35]

# 선 그래프 생성
plt.plot(x, y, label='Line 1')

# 그래프 제목 추가
plt.title('Simple Line Plot')

# x축, y축 레이블 추가
plt.xlabel('X-axis')
plt.ylabel('Y-axis')

# 범례 추가
plt.legend()

# 그래프 표시
plt.show()
```

실행 결과

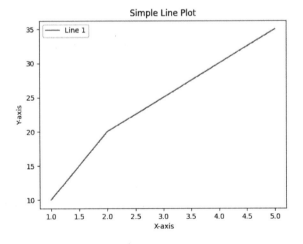

기본 플롯 2. 산점도

산점도(Scatter Plot)는 두 변수 간의 관계를 시각화하는 데 사용되는 그래프입니다. 각 점은 두 변수의 값을 나타내며, 이를 통해 변수 간의 상관관계를 시각적으로 파악할 수 있습니다. Matplotlib 라이브러리의 scatter 함수를 사용하여 산점도를 생성해 보겠습니다.

```python
import matplotlib.pyplot as plt
```

먼저 matplotlib.pyplot 모듈을 plt라는 이름으로 임포트합니다.

```python
x = [1, 2, 3, 4, 5]
y = [10, 20, 25, 30, 35]
```

그래프의 x축과 y축 데이터 포인트를 나타내는 x와 y라는 두 개의 리스트를 생성합니다.

```python
plt.scatter(x, y, color='red', label='Data points')
```

plt.scatter 함수를 사용하여 산점도를 생성합니다. x와 y 데이터를 인수로 전달하며, color 인수를 사용하여 데이터 포인트의 색상을 'red'로 설정합니다. label 인수는 범례에서 사용될 이름을 설정합니다.

```python
plt.title('Simple Scatter Plot')
plt.xlabel('X-axis')
plt.ylabel('Y-axis')
plt.legend()
plt.show()
```

그래프의 제목, x축과 y축 레이블을 설정하고, 범례를 추가한 후 그래프를 화면에 표시합니다.

전체 소스 코드와 실행 결과는 다음과 같습니다.

소스 코드

```python
import matplotlib.pyplot as plt

# 데이터 준비
x = [1, 2, 3, 4, 5]
y = [10, 20, 25, 30, 35]

# 산점도 생성
plt.scatter(x, y, color='red', label='Data points')

# 그래프 제목 추가
plt.title('Simple Scatter Plot')

# x축, y축 레이블 추가
plt.xlabel('X-axis')
plt.ylabel('Y-axis')

# 범례 추가
plt.legend()

# 그래프 표시
plt.show()
```

실행 결과

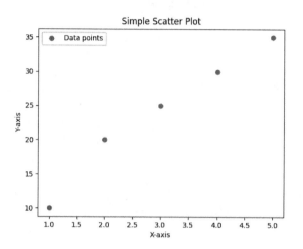

기본 플롯 3. 막대 그래프

막대 그래프(Bar Plot)는 데이터의 범주(category)를 표시하고 각 범주의 크기를 시각적으로 비교하는 데 사용되는 그래프입니다. Matplotlib 라이브러리를 사용하여 막대 그래프를 생성하고 표시하는 코드를 작성해 보겠습니다.

```
import matplotlib.pyplot as plt
```

먼저 matplotlib.pyplot 모듈을 임포트합니다.

```
categories = ['A', 'B', 'C', 'D', 'E']
values = [5, 7, 3, 8, 4]
```

막대 그래프에 사용할 데이터를 준비합니다. 여기서는 categories와 values라는 두 개의 리스트를 사용합니다. categories는 각 막대를 나타내는 레이블이고, values는 각 막대의 높이(값)를 나타냅니다.

```
plt.bar(categories, values, color='blue', label='Values')
```

plt.bar 함수를 사용하여 막대 그래프를 생성합니다. 이 함수는 x축 값(범주)과 y축 값(크기)을 인수로 받습니다. color 인수를 사용하여 막대의 색상을 지정할 수 있습니다. label 인수는 범례에 표시될 이름을 지정합니다.

```
plt.title('Simple Bar Plot')
plt.xlabel('Categories')
plt.ylabel('Values')
plt.legend()
plt.show()
```

그래프의 제목, x축과 y축 레이블을 설정하고, 범례를 추가한 후 그래프를 화면에 표시합니다.

전체 소스 코드와 실행 결과는 다음과 같습니다.

소스 코드

```
import matplotlib.pyplot as plt

# 데이터 준비
categories = ['A', 'B', 'C', 'D', 'E']
values = [5, 7, 3, 8, 4]

# 막대 그래프 생성
plt.bar(categories, values, color='blue', label='Values')

# 그래프 제목 추가
plt.title('Simple Bar Plot')

# x축, y축 레이블 추가
plt.xlabel('Categories')
plt.ylabel('Values')
```

```
# 범례 추가
plt.legend()

# 그래프 표시
plt.show()
```

실행 결과

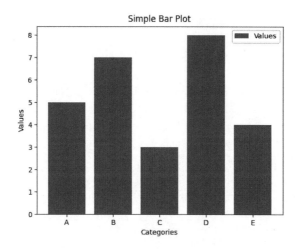

기본 플롯 4. 히스토그램

히스토그램(Histogram)은 데이터의 분포를 시각적으로 나타내는 그래프입니다. 주어진 데이터 세트를 여러 구간(bin)으로 나누고, 각 구간에 속하는 데이터 포인트의 개수를 세어 막대 그래프로 표현합니다. 히스토그램은 데이터의 분포, 중심 경향, 변동성, 이상값 등을 파악하는 데 유용하게 사용됩니다. Matplotlib와 numpy를 사용하여 1000개의 난수 데이터로 히스토그램을 생성해 보겠습니다.

```
import matplotlib.pyplot as plt
import numpy as np
```

먼저, matplotlib.pyplot 모듈과 numpy 모듈을 임포트합니다. numpy는 배열 계산을 위한 라이브러리이며, random 모듈을 사용하여 난수를 생성할 수 있습니다.

```
data = np.random.randn(1000)
```

numpy의 random.randn 함수를 사용하여 정규분포를 따르는 1000개의 난수를 생성합니다. 이 데이터는 히스토그램을 그리는 데 사용됩니다.

```
plt.hist(data, bins=30, color='green', label='Data')
```

plt.hist 함수를 사용하여 히스토그램을 생성합니다. bins 인수로 히스토그램의 구간 개수를 지정합니다. color 인수로 막대의 색상을 지정하고, label 인수로 범례에 표시될 이름을 지정합니다.

```
plt.title('Simple Histogram')
plt.xlabel('Value')
plt.ylabel('Frequency')
plt.legend()
plt.show()
```

그래프의 제목, x축과 y축 레이블을 설정하고, 범례를 추가한 후 그래프를 화면에 표시합니다.

전체 소스 코드와 실행 결과는 다음과 같습니다.

소스 코드

```
import matplotlib.pyplot as plt
import numpy as np

# 데이터 준비
```

```
data = np.random.randn(1000)

# 히스토그램 생성
plt.hist(data, bins=30, color='green', label='Data')

# 그래프 제목 추가
plt.title('Simple Histogram')

# x축, y축 레이블 추가
plt.xlabel('Value')
plt.ylabel('Frequency')

# 범례 추가
plt.legend()

# 그래프 표시
plt.show()
```

실행 결과

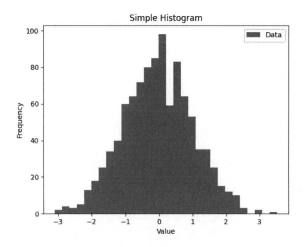

다중 플롯

다중 플롯(multiple plots)은 한 개의 그래프가 아닌 여러 개의 그래프를 한 화면에 동시에 표시하는 기법입니다. 이는 데이터의 비교 및 다양한 시각적 표현을 한눈에 확인할 수 있게 해준다는 장점이 있습니다. Matplotlib 라이브러리에서는 subplot 함수와 subplots 함수를 사용하여 다중 플롯을 쉽게 생성할 수 있습니다.

```python
import matplotlib.pyplot as plt

x = [1, 2, 3, 4, 5]
y1 = [10, 20, 25, 30, 35]
y2 = [15, 25, 20, 35, 30]
```

먼저 matplotlib.pyplot 모듈을 임포트하고, 선 그래프에 사용할 데이터를 준비합니다. 여기서는 x, y1, y2라는 세 개의 리스트를 사용합니다. 변수 x는 x축 값(독립 변수), 변수 y1과 y2는 y축 값(종속 변수)을 나타냅니다.

```python
plt.plot(x, y1, label='Line 1', color='blue')
```

plt.plot 함수를 사용하여 첫 번째 선 그래프를 생성합니다. label 인수로 범례에 표시될 이름을 지정하고, color 인수로 선의 색상을 지정합니다.

```python
plt.plot(x, y2, label='Line 2', color='red')
```

plt.plot 함수를 다시 사용하여 두 번째 선 그래프를 생성합니다. 첫 번째 그래프와 마찬가지로 label 인수로 범례에 표시될 이름을 지정하고, color 인수로 선의 색상을 지정합니다.

```python
plt.title('Multiple Line Plot')
plt.xlabel('X-axis')
plt.ylabel('Y-axis')
plt.legend()
```

```
plt.show()
```

그래프의 제목, x축과 y축 레이블을 설정하고, 범례를 추가한 후 그래프를 화면에 표시합니다.

전체 소스 코드와 실행 결과는 다음과 같습니다.

소스 코드

```
import matplotlib.pyplot as plt

# 데이터 준비
x = [1, 2, 3, 4, 5]
y1 = [10, 20, 25, 30, 35]
y2 = [15, 25, 20, 35, 30]

# 첫 번째 선 그래프 생성
plt.plot(x, y1, label='Line 1', color='blue')

# 두 번째 선 그래프 생성
plt.plot(x, y2, label='Line 2', color='red')

# 그래프 제목 추가
plt.title('Multiple Line Plot')

# x축, y축 레이블 추가
plt.xlabel('X-axis')
plt.ylabel('Y-axis')

# 범례 추가
plt.legend()

# 그래프 표시
plt.show()
```

실행 결과

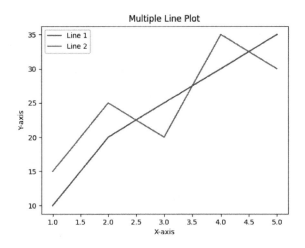

서브플롯

서브 플롯(subplot)은 여러 개의 그래프를 하나의 피겨(figure) 안에 배열하여 동시에 표시하는 기법입니다. 이를 통해 다양한 데이터 세트를 한 눈에 비교하고 분석할 수 있습니다. Matplotlib 라이브러리에서는 subplot 함수와 subplots 함수를 사용하여 서브 플롯을 쉽게 생성할 수 있습니다. 다음은 2x2 서브플롯을 생성하는 코드입니다.

```python
import matplotlib.pyplot as plt

x = [1, 2, 3, 4, 5]
y1 = [10, 20, 25, 30, 35]
y2 = [15, 25, 20, 35, 30]
y3 = [5, 15, 10, 25, 20]
y4 = [10, 30, 20, 40, 35]
```

matplotlib.pyplot 모듈을 임포트하고, 서브플롯에 사용할 데이터를 준비합니다. 여기서는 x, y1, y2, y3, y4라는 다섯 개의 리스트를 사용합니다. 변수 x는 x축 값(독립 변수), 변수 y1, y2, y3, y4는 y축 값(종속 변수)을 나타냅니다.

```
plt.subplot(2, 2, 1)
plt.plot(x, y1, label='Line 1')
plt.title('Plot 1')
```

plt.subplot(2, 2, 1) 함수를 사용하여 2행 2열 레이아웃의 첫 번째 플롯을 생성합니다. plt.plot 함수를 사용하여 데이터를 플로팅하고, plt.title 함수를 사용하여 그래프의 제목을 추가합니다.

```
plt.subplot(2, 2, 2)
plt.plot(x, y2, label='Line 2', color='red')
plt.title('Plot 2')
```

```
plt.subplot(2, 2, 3)
plt.plot(x, y3, label='Line 3', color='green')
plt.title('Plot 3')
```

```
plt.subplot(2, 2, 4)
plt.plot(x, y4, label='Line 4', color='purple')
plt.title('Plot 4')
```

동일한 방법으로 두번째, 세번째, 네번째 플롯을 생성합니다.

```
plt.tight_layout()
```

플롯들이 서로 겹치지 않고 적절한 간격을 유지하도록 plt.tight_layout 함수를 호출하여 서브플롯 간의 간격을 조정합니다.

```
plt.show()
```

모든 서브플롯을 화면에 표시합니다.

전체 소스 코드와 실행 결과는 다음과 같습니다.

소스 코드

```python
import matplotlib.pyplot as plt

# 데이터 준비
x = [1, 2, 3, 4, 5]
y1 = [10, 20, 25, 30, 35]
y2 = [15, 25, 20, 35, 30]
y3 = [5, 15, 10, 25, 20]
y4 = [10, 30, 20, 40, 35]

# 2x2 서브플롯 생성
plt.subplot(2, 2, 1)
plt.plot(x, y1, label='Line 1')
plt.title('Plot 1')

plt.subplot(2, 2, 2)
plt.plot(x, y2, label='Line 2', color='red')
plt.title('Plot 2')

plt.subplot(2, 2, 3)
plt.plot(x, y3, label='Line 3', color='green')
plt.title('Plot 3')

plt.subplot(2, 2, 4)
plt.plot(x, y4, label='Line 4', color='purple')
plt.title('Plot 4')

# 레이아웃 조정
plt.tight_layout()

# 그래프 표시
plt.show()
```

실행 결과

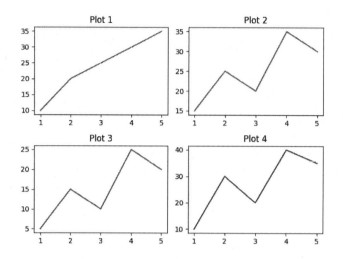

스타일 설정

Matplotlib 라이브러리에서 스타일을 설정하면 그래프의 시각적 요소들을 일관성 있게 관리할 수 있습니다. 스타일을 설정하는 방법은 여러 가지가 있으며, 이를 통해 그래프의 모양과 느낌을 사용자 정의할 수 있습니다.

다음 코드는 선 그래프에 ggplot 스타일을 적용한 예 입니다.
ggplot 스타일은 R의 ggplot2 패키지에서 영감을 받아 깔끔하고 직관적인 그래프를 제공하는 matplotlib의 스타일 중 하나로, 회색 배경과 흰색 그리드 라인 위에 데이터를 표현합니다.

```
import matplotlib.pyplot as plt

# 스타일 설정
plt.style.use('ggplot')

# 데이터 준비
x = [1, 2, 3, 4, 5]
```

```
y = [10, 20, 25, 30, 35]

# 선 그래프 생성
plt.plot(x, y, label='Line 1')

# 그래프 제목 추가
plt.title('Styled Line Plot')

# x축, y축 레이블 추가
plt.xlabel('X-axis')
plt.ylabel('Y-axis')

# 범례 추가
plt.legend()

# 그래프 표시
plt.show()
```

실행 결과

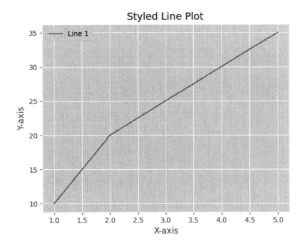

이상으로 파이썬에서 가장 널리 사용되는 데이터 시각화 라이브러리인 matplotlib를 이용한 기본적인 선 그래프, 산점도, 막대 그래프, 히스토그램을 생성하는 방법, 다중 플롯과 서브플롯을 사용하는 방법, 그리고, 스타일 설정을 통해 그래프의 모양을 변경하는 방법 등에 대해 알아 보았습니다.

Seaborn

Seaborn(https://seaborn.pydata.org/)은 파이썬의 데이터 시각화 라이브러리로, matplotlib를 기반으로 하고 있습니다. Seaborn은 보다 복잡한 그래프를 쉽게 생성하고, 데이터 분석에 유용한 다양한 스타일과 테마를 제공합니다. 여기서는 Seaborn의 기본 사용법과 함께 다양한 플롯을 생성하는 방법에 대해 알아보겠습니다.

Seaborn 설치

Seaborn을 사용하려면 먼저 설치해야 합니다. pip install 명령을 사용하여 설치할 수 있습니다.

```
pip install seaborn
```

데이터 준비

Seaborn에는 몇 가지 내장된 샘플 데이터셋이 있습니다. 이 데이터셋을 사용하여 다양한 플롯을 생성할 수 있습니다. 가장 자주 사용되는 데이터셋 중 하나는 'tips' 데이터셋으로, tips 데이터셋은 식당의 팁에 대한 정보(총 금액, 팁 금액, 성별, 흡연 여부, 요일, 시간, 인원 수 등)를 담고 있습니다.

```
import seaborn as sns

# 내장된 'tips' 데이터셋 로드
tips = sns.load_dataset('tips')

# 데이터셋의 첫 다섯 개 행을 출력
print(tips.head())

# 실행 결과
#    total_bill   tip     sex smoker  day    time  size
# 0       16.99  1.01  Female     No  Sun  Dinner     2
# 1       10.34  1.66    Male     No  Sun  Dinner     3
# 2       21.01  3.50    Male     No  Sun  Dinner     3
# 3       23.68  3.31    Male     No  Sun  Dinner     2
# 4       24.59  3.61  Female     No  Sun  Dinner     4
```

기본 플롯 1. 히스토그램 및 커널 밀도 추정(KDE) 플롯

히스토그램은 데이터의 분포를 막대 형태로 시각화하는 그래프입니다. 커널 밀도 추정(Kernel Density Estimation, KDE)은 연속적인 확률 밀도 함수로, 데이터의 분포를 부드러운 곡선 형태로 시각화합니다. 둘은 데이터의 분포를 시각화하는 데 매우 유용한 도구입니다.

다음은 seaborn 라이브러리를 사용하여 히스토그램을 생성하고 커널 밀도 추정(KDE)을 추가하는 코드입니다.

```
import seaborn as sns
import matplotlib.pyplot as plt
```

먼저 seaborn과 matplotlib.pyplot 모듈을 임포트합니다.

```
tips = sns.load_dataset('tips')
```

seaborn의 내장 데이터셋인 'tips' 데이터를 로드합니다. 'tips' 데이터셋은 식당에서 계산서와 팁에 관한 데이터를 포함하고 있습니다.

```
sns.histplot(tips['total_bill'], bins=30, kde=True)
```

seaborn의 histplot 함수를 사용하여 히스토그램을 생성합니다. bins 인수로 히스토그램의 구간 개수를 지정하고, kde 인수로 커널 밀도 추정을 추가할지 여부를 지정합니다. 여기서 tips['total_bill']은 히스토그램을 생성할 데이터 컬럼이며, bins=30은 히스토그램의 구간 개수를 30으로 설정합니다. kde=True는 커널 밀도 추정선을 히스토그램에 추가하는 옵션입니다. KDE는 데이터의 연속적인 분포를 부드럽게 나타내는 곡선입니다.

```
plt.title('Total Bill Histogram with KDE')
plt.xlabel('Total Bill')
plt.ylabel('Frequency')
plt.show()
```

matplotlib.pyplot의 함수들을 사용하여 그래프의 제목과 x축, y축 레이블을 추가하고, plt.show 함수를 호출하여 완성된 그래프를 화면에 표시합니다.

전체 소스 코드와 실행 결과는 다음과 같습니다.

```
import seaborn as sns
import matplotlib.pyplot as plt

# 내장된 'tips' 데이터셋 로드
tips = sns.load_dataset('tips')

# 히스토그램 생성
sns.histplot(tips['total_bill'], bins=30, kde=True)
plt.title('Total Bill Histogram with KDE')
```

```
plt.xlabel('Total Bill')
plt.ylabel('Frequency')
plt.show()
```

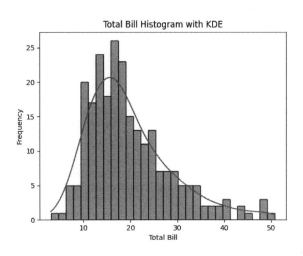

기본 플롯 2. 산점도(Scatter Plot)

산점도를 생성하기 위해서는 seaborn 라이브러리의 scatterplot 함수를 사용합니다.

```
sns.scatterplot(data=tips, x='total_bill', y='tip', hue='time')
```

여기서 data=tips는 사용할 데이터셋을 지정하고, x='total_bill'은 x축에 표시할 데이터 컬럼을, y='tip'은 y축에 표시할 데이터 컬럼을 지정합니다. hue='time'은 데이터 포인트의 색상을 식사의 시간(점심과 저녁) 기준으로 구분합니다.

```
import seaborn as sns
import matplotlib.pyplot as plt
```

```
# 내장된 'tips' 데이터셋 로드
tips = sns.load_dataset('tips')

# 산점도 생성
sns.scatterplot(data=tips, x='total_bill', y='tip', hue='time')
plt.title('Total Bill vs Tip by Time')
plt.xlabel('Total Bill')
plt.ylabel('Tip')
plt.show()
```

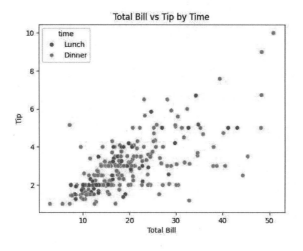

기본 플롯 3. 막대 그래프(Bar Plot)

seaborn 라이브러리의 barplot 함수를 사용하면 막대 그래프를 쉽게 그릴 수 있습니다.

```
sns.barplot(data=tips, x='day', y='total_bill', hue='sex')
```

여기서 data=tips는 사용할 데이터셋을 지정하고, x='day'는 x축에 표시할 데이터 컬럼을,
y='total_bill'은 y축에 표시할 데이터 컬럼을 지정합니다. hue='sex'는 데이터 포인트의
색상을 성별(남성과 여성) 기준으로 구분합니다.

```
import seaborn as sns
import matplotlib.pyplot as plt

# 내장된 'tips' 데이터셋 로드
tips = sns.load_dataset('tips')

# 막대 그래프 생성
sns.barplot(data=tips, x='day', y='total_bill', hue='sex')
plt.title('Total Bill by Day and Sex')
plt.xlabel('Day')
plt.ylabel('Total Bill')
plt.show()
```

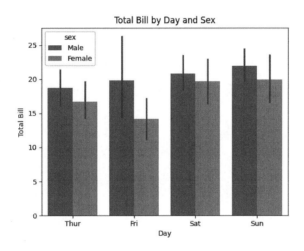

기본 플롯 4. 박스 플롯(Box Plot)

박스 플롯(Box Plot)은 데이터의 분포와 중심 경향, 변동성을 시각적으로 표현하는 도구로, 통계적 분석에서 매우 유용하게 사용됩니다. 박스 플롯은 데이터의 최소값, 제1사분위수(Q1), 중앙값(중위수, Q2), 제3사분위수(Q3), 최대값을 시각적으로 나타내며, 이상값(outliers)도 포함할 수 있습니다. 이를 통해 데이터의 분포 형태와 중심 경향을 쉽게 파악할 수 있습니다.

박스 플롯을 생성하기 위해서는 seaborn 라이브러리의 boxplot 함수를 사용합니다.

```
sns.boxplot(data=tips, x='day', y='total_bill', hue='sex')
```

여기서 data=tips는 사용할 데이터셋을 지정하고, x='day'는 x축에 표시할 데이터 컬럼을, y='total_bill'은 y축에 표시할 데이터 컬럼을 지정합니다. hue='sex'는 데이터 포인트의 색상을 성별(남성과 여성) 기준으로 구분합니다.

```python
import seaborn as sns
import matplotlib.pyplot as plt

# 내장된 'tips' 데이터셋 로드
tips = sns.load_dataset('tips')

# 박스 플롯 생성
sns.boxplot(data=tips, x='day', y='total_bill', hue='sex')
plt.title('Total Bill by Day and Sex (Box Plot)')
plt.xlabel('Day')
plt.ylabel('Total Bill')
plt.show()
```

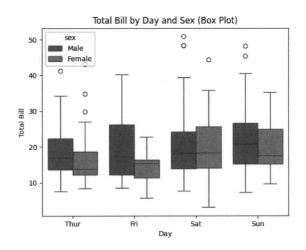

기본 플롯 5. 바이올린 플롯(Violin Plot)

바이올린 플롯(Violin Plot)은 박스 플롯과 커널 밀도 추정(KDE)을 결합한 형태로, 데이터의 분포와 밀도를 시각적으로 나타내는 데 사용됩니다.

seaborn 라이브러리의 violinplot 함수를 사용하면 바이올린 플롯을 쉽게 그릴 수 있습니다.

sns.violinplot(data=tips, x='day', y='total_bill', hue='sex', split=True)

여기서 data=tips는 사용할 데이터셋을 지정하고, x='day'는 x축에 표시할 데이터 컬럼을, y='total_bill'은 y축에 표시할 데이터 컬럼을 지정합니다. hue='sex'는 데이터 포인트의 색상을 성별(남성과 여성) 기준으로 구분합니다. split=True는 성별에 따른 분포를 동일한 바이올린 플롯 내에서 나누어 표시합니다.

```
import seaborn as sns
import matplotlib.pyplot as plt
```

```
# 내장된 'tips' 데이터셋 로드
tips = sns.load_dataset('tips')

# 바이올린 플롯 생성
sns.violinplot(data=tips, x='day', y='total_bill', hue='sex', split=True)
plt.title('Total Bill by Day and Sex (Violin Plot)')
plt.xlabel('Day')
plt.ylabel('Total Bill')
plt.show()
```

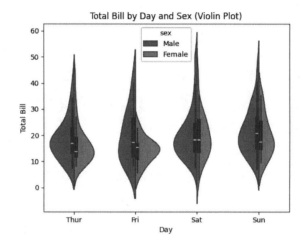

다중 플롯

Seaborn을 사용하면 FacetGrid를 통해 조건에 따라 여러 플롯을 그릴 수 있습니다. FacetGrid는 seaborn 라이브러리에서 제공하는 강력한 도구로, 데이터셋의 다양한 하위 집합을 생성하고 이를 여러 개의 그래프로 시각화하는 데 사용됩니다.

다음 코드는 FacetGrid를 사용하여 데이터를 성별(sex)과 시간대(time)에 따라 나누어 각각의 하위 집합에 대해 산점도를 생성하는 코드 입니다.

```
g = sns.FacetGrid(tips, col='sex', row='time')
g.map(sns.scatterplot, 'total_bill', 'tip')
```

여기서 FacetGrid 객체를 생성할 때 col='sex'와 row='time'을 지정하여 성별과 시간대에
따라 데이터를 나누고, map 메서드를 사용하여 각 하위 집합에 대해 sns.scatterplot
함수를 호출하여 산점도를 그립니다. total_bill과 tip을 x축과 y축에 각각 매핑합니다.

```
import seaborn as sns
import matplotlib.pyplot as plt

# 내장된 'tips' 데이터셋 로드
tips = sns.load_dataset('tips')

# FacetGrid를 사용한 다중 플롯
g = sns.FacetGrid(tips, col='sex', row='time')
g.map(sns.scatterplot, 'total_bill', 'tip')
g.add_legend()
plt.show()
```

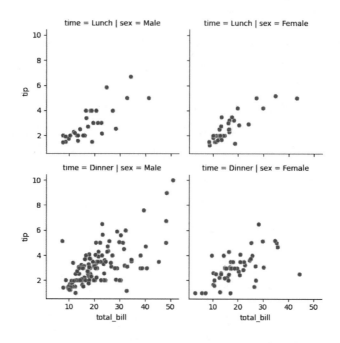

스타일 설정

그래프의 모양과 느낌을 사용자가 정의할 수 있도록 seaborn은 다양한 스타일 설정 옵션을 제공합니다.

```python
import seaborn as sns
import matplotlib.pyplot as plt

# 스타일 설정
sns.set_style('whitegrid')

# 데이터 준비
x = [1, 2, 3, 4, 5]
y = [10, 20, 25, 30, 35]

# 선 그래프 생성
```

```
sns.lineplot(x=x, y=y)
plt.title('Styled Line Plot')
plt.xlabel('X-axis')
plt.ylabel('Y-axis')
plt.show()
```

seaborn의 set_style 함수를 사용하여 그래프의 스타일을 설정합니다. 여기서는 'whitegrid' 스타일을 사용하여 배경에 흰색 격자선을 추가합니다. 'whitegrid' 스타일은 seaborn 라이브러리에서 제공하는 스타일 중 하나로, 그래프의 배경에 흰색 격자선을 추가하여 데이터를 명확하고 깔끔하게 표현하는 스타일 입니다.

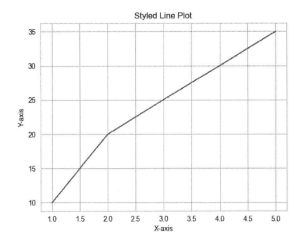

이상으로 seaborn을 이용하여 기본적인 히스토그램, 산점도, 막대 그래프, 박스 플롯, 바이올린 플롯을 생성하는 방법, 다중 플롯과 스타일을 설정하는 방법에 대해 알아 보았습니다.

간단한 데이터 분석 프로젝트: 타이타닉 생존자 분석

타이타닉 생존자 데이터셋을 사용하여 간단한 데이터 분석 프로젝트를 수행해 보겠습니다. 이 프로젝트에서는 Pandas와 Seaborn 라이브러리를 사용하여 데이터를 탐색하고 시각화하며, 몇 가지 기본적인 통계를 계산해 보겠습니다.

데이터셋

타이타닉 데이터셋은 Kaggle에서 제공하는 유명한 데이터셋으로, 타이타닉호의 승객 정보와 생존 여부를 포함하고 있습니다. 데이터셋에는 다음과 같은 주요 컬럼이 있습니다:

- PassengerId: 승객 ID
- Survived: 생존 여부 (0 = 사망, 1 = 생존)
- Pclass: 승객 등급 (1 = 1등급, 2 = 2등급, 3 = 3등급)
- Name: 승객 이름
- Sex: 성별
- Age: 나이
- SibSp: 함께 탑승한 형제자매/배우자 수
- Parch: 함께 탑승한 부모/자녀 수
- Ticket: 티켓 번호
- Fare: 요금
- Cabin: 객실 번호
- Embarked: 탑승 항구 (C = Cherbourg, Q = Queenstown, S = Southampton)

프로젝트 단계

1. 데이터 로드
2. 데이터 탐색

3. 데이터 전처리

4. 데이터 시각화

5. 간단한 통계 분석

1. 데이터 로드

먼저, Pandas를 사용하여 CSV 파일에서 데이터를 로드합니다.

```
import pandas as pd

# 타이타닉 데이터셋 로드
url =
'https://raw.githubusercontent.com/datasciencedojo/datasets/master/titani
c.csv'
titanic_data = pd.read_csv(url)

# 데이터셋의 첫 몇 행 출력
print(titanic_data.head())
```

실행 결과

```
   PassengerId  Survived  Pclass  ...      Fare Cabin  Embarked
0            1         0       3  ...    7.2500   NaN         S
1            2         1       1  ...   71.2833   C85         C
2            3         1       3  ...    7.9250   NaN         S
3            4         1       1  ...   53.1000  C123         S
4            5         0       3  ...    8.0500   NaN         S

[5 rows x 12 columns]
```

2. 데이터 탐색

데이터의 기본적인 정보와 통계를 확인합니다.

```python
# 데이터셋 정보 확인
print("데이터셋 정보")
print(titanic_data.info())

# 데이터셋 통계 요약
print("데이터셋 통계 요약")
print(titanic_data.describe())
```

실행 결과

```
데이터셋 정보
<class 'pandas.core.frame.DataFrame'>
RangeIndex: 891 entries, 0 to 890
Data columns (total 12 columns):
 #   Column       Non-Null Count   Dtype
---  ------       --------------   -----
 0   PassengerId  891 non-null     int64
 1   Survived     891 non-null     int64
 2   Pclass       891 non-null     int64
 3   Name         891 non-null     object
 4   Sex          891 non-null     object
 5   Age          714 non-null     float64
 6   SibSp        891 non-null     int64
 7   Parch        891 non-null     int64
 8   Ticket       891 non-null     object
 9   Fare         891 non-null     float64
 10  Cabin        204 non-null     object
 11  Embarked     889 non-null     object
dtypes: float64(2), int64(5), object(5)
memory usage: 83.7+ KB
None
데이터셋 통계 요약
        PassengerId    Survived  ...       Parch        Fare
count    891.000000  891.000000  ...  891.000000  891.000000
mean     446.000000    0.383838  ...    0.381594   32.204208
```

```
std      257.353842    0.486592   ...    0.806057   49.693429
min        1.000000    0.000000   ...    0.000000    0.000000
25%      223.500000    0.000000   ...    0.000000    7.910400
50%      446.000000    0.000000   ...    0.000000   14.454200
75%      668.500000    1.000000   ...    0.000000   31.000000
max      891.000000    1.000000   ...    6.000000  512.329200

[8 rows x 7 columns]
```

3. 데이터 전처리

결측값(데이터 세트에서 누락된 값 또는 사용할 수 없는 값) 처리와 필요 없는 컬럼 제거 등의 전처리 작업을 수행합니다.

```python
# 결측값 확인
print("결측값 확인")
print(titanic_data.isnull().sum())

# 'Cabin' 열은 결측값이 너무 많으므로 제거
titanic_data = titanic_data.drop(columns=['Cabin'])

# 결측값이 있는 행 제거
titanic_data = titanic_data.dropna()

# 'Embarked' 열은 범주형 데이터로 변환
titanic_data['Embarked'] = titanic_data['Embarked'].astype('category')

# 전처리 후 데이터셋 정보 확인
print("전처리 후 데이터셋 정보 확인")
print(titanic_data.info())
```

실행 결과

결측값 확인

```
PassengerId      0
Survived         0
Pclass           0
Name             0
Sex              0
Age            177
SibSp            0
Parch            0
Ticket           0
Fare             0
Cabin          687
Embarked         2
dtype: int64
```

전처리 후 데이터셋 정보 확인

```
<class 'pandas.core.frame.DataFrame'>
Index: 712 entries, 0 to 890
Data columns (total 11 columns):
 #   Column       Non-Null Count  Dtype
---  ------       --------------  -----
 0   PassengerId  712 non-null    int64
 1   Survived     712 non-null    int64
 2   Pclass       712 non-null    int64
 3   Name         712 non-null    object
 4   Sex          712 non-null    object
 5   Age          712 non-null    float64
 6   SibSp        712 non-null    int64
 7   Parch        712 non-null    int64
 8   Ticket       712 non-null    object
 9   Fare         712 non-null    float64
 10  Embarked     712 non-null    category
dtypes: category(1), float64(2), int64(5), object(3)
memory usage: 62.0+ KB
None
```

4. 데이터 시각화

Seaborn과 Matplotlib를 사용하여 데이터를 시각화합니다.

```python
import seaborn as sns
import matplotlib.pyplot as plt

# 성별에 따른 생존자 수 시각화
sns.countplot(data=titanic_data, x='Sex', hue='Survived')
plt.title('Sex vs Survived')
plt.show()

# 승객 등급에 따른 생존율 시각화
sns.barplot(data=titanic_data, x='Pclass', y='Survived')
plt.title('Pclass vs Survived')
plt.show()

# 나이 분포 시각화
sns.histplot(data=titanic_data, x='Age', bins=30, kde=True)
plt.title('Age Distribution')
plt.show()

# 요금 분포 시각화
sns.histplot(data=titanic_data, x='Fare', bins=30, kde=True)
plt.title('Fare Distribution')
plt.show()

# 승객 등급과 요금의 관계 시각화
sns.boxplot(data=titanic_data, x='Pclass', y='Fare')
plt.title('Pclass vs Fare')
plt.show()
```

실행 결과

성별에 따른 생존자 수   승객 등급에 따른 생존율

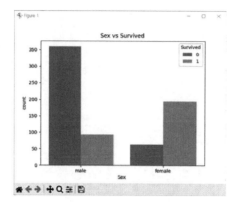

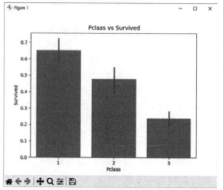

나이 분포

요금 분포

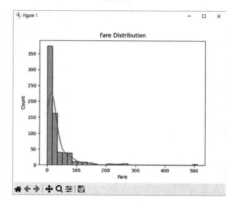

승객 등급과 요금의 관계

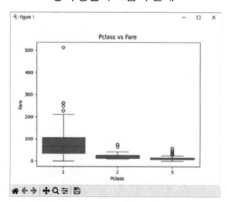

5. 간단한 통계 분석

데이터의 기본적인 통계를 계산하고, 몇 가지 흥미로운 분석을 수행합니다.

```python
# 전체 생존율 계산
total_survival_rate = titanic_data['Survived'].mean()
print(f"전체 생존율: {total_survival_rate:.2f}")

# 성별 생존율 계산
sex_survival_rate = titanic_data.groupby('Sex')['Survived'].mean()
print("성별 생존율:\n", sex_survival_rate)

# 승객 등급별 생존율 계산
pclass_survival_rate = titanic_data.groupby('Pclass')['Survived'].mean()
print("승객 등급별 생존율:\n", pclass_survival_rate)

# 나이대별 생존율 계산 (0-10, 11-20, 21-30, ..., 81-90)
titanic_data['AgeGroup'] = pd.cut(titanic_data['Age'], bins=[0, 10, 20,
30, 40, 50, 60, 70, 80, 90])
age_group_survival_rate = titanic_data.groupby(by='AgeGroup',
observed=False)['Survived'].mean()
print("나이대별 생존율:\n", age_group_survival_rate)
```

실행 결과

```
전체 생존율: 0.40
성별 생존율:
Sex
female    0.752896
male      0.205298
Name: Survived, dtype: float64
승객 등급별 생존율:
Pclass
1     0.652174
```

```
2      0.479769
3      0.239437
Name: Survived, dtype: float64
나이대별 생존율:
AgeGroup
(0, 10]      0.593750
(10, 20]     0.382609
(20, 30]     0.365217
(30, 40]     0.441558
(40, 50]     0.383721
(50, 60]     0.404762
(60, 70]     0.187500
(70, 80]     0.200000
(80, 90]          NaN
Name: Survived, dtype: float64
```

이상으로 Pandas와 Seaborn을 사용하여 데이터를 로드, 탐색, 전처리, 시각화, 분석하는 코드를 작성해 보았습니다. 이를 통해 타이타닉 데이터셋을 활용하여 성별, 승객 등급, 나이 등의 변수에 따른 생존율 분석 결과를 도출할 수 있었습니다.

이러한 분석 방법은 다른 데이터셋에도 동일하게 적용할 수 있으므로, 데이터 분석 능력을 향상시키는 데 도움이 되겠습니다.

12장 웹 개발

The best way to predict the future is to invent it.

이 장에서는 파이썬을 사용하여 웹 애플리케이션을 개발하는 방법을 다룹니다. 특히, 파이썬의 대표적인 웹 프레임워크인 Flask와 Django를 소개하고, 이를 활용한 웹 개발의 기초부터 실제 응용까지 자세히 설명합니다

Flask를 이용한 웹 애플리케이션 개발

Flask는 파이썬으로 작성된 경량 웹 프레임워크로, 웹 애플리케이션을 빠르고 쉽게 개발할 수 있도록 도와줍니다. Flask는 매우 유연하고 확장성이 뛰어나며, 단순한 웹사이트에서 복잡한 웹 애플리케이션까지 다양한 프로젝트에 적합합니다.

Flask 설치부터 기본 사용법까지 예제와 함께 알아보도록 하겠습니다.

설치

Flask를 사용하려면 먼저 설치해야 합니다. `pip install` 명령을 사용하여 설치할 수 있습니다.

```
pip install flask
```

주요 구성 요소

Flask 클래스

Flask 클래스는 애플리케이션 인스턴스를 생성합니다. 애플리케이션 인스턴스는 웹 애플리케이션의 중심이며, 요청을 처리하고 응답을 반환하는 역할을 합니다.

라우팅(Routing)

라우팅은 URL과 이를 처리할 뷰 함수를 매핑하는 과정입니다. Flask는 `@app.route` 데코레이터를 사용하여 라우트를 정의합니다.

뷰 함수(View Function)

뷰 함수는 특정 URL에 대한 요청을 처리하고 응답을 반환하는 함수입니다. 뷰 함수는 HTML 템플릿을 렌더링하거나 JSON 데이터를 반환하거나, 다른 URL로 리다이렉트하는 등의 작업을 수행할 수 있습니다.

템플릿(Template)

Flask는 Jinja2 템플릿 엔진을 사용하여 HTML 템플릿을 렌더링합니다. 템플릿은 동적으로 생성된 HTML 페이지를 반환하기 위해 사용됩니다.

요청 객체(Request Object)

요청 객체는 클라이언트로부터 들어오는 HTTP 요청에 대한 정보를 포함합니다. Flask는 request 객체를 사용하여 폼 데이터, URL 매개변수, 헤더 등을 처리합니다.

응답 객체(Response Object)

응답 객체는 서버에서 클라이언트로 보내는 HTTP 응답을 나타냅니다. Flask는 make_response 함수를 사용하여 응답 객체를 생성할 수 있습니다.

애플리케이션 구조

Flask 애플리케이션의 기본 구조는 다음과 같습니다.

```
/my_flask_app
    /static
        /css
        /js
        /images
    /templates
        index.html
        about.html
    app.py
```

static 디렉토리는 CSS, JavaScript, 이미지 파일 등 정적 파일을 저장하며, templates 디렉토리는 HTML 템플릿 파일을 저장합니다. app.py 파일은 Flask 애플리케이션의 메인 파일입니다.

기본 설정

app.py 파일에 기본적은 Flask 애플리케이션을 작성해 보겠습니다.

```python
from flask import Flask

# Flask 애플리케이션 생성
app = Flask(__name__)

# 라우트 설정
@app.route('/')
def home():
    return "Hello, Flask!"

# 애플리케이션 실행
if __name__ == '__main__':
    app.run(debug=True)
```

Flask(__name__)
Flask 애플리케이션 객체를 생성합니다. __name__은 현재 모듈의 이름을 나타내며, Flask가 애플리케이션의 위치를 찾는 데 사용됩니다.

@app.route('/')
URL 라우트를 설정합니다. 여기서는 루트 URL ('/')을 설정합니다.

def home()

URL 라우트에 대한 뷰 함수(view function)를 정의합니다. 여기서는 단순히 "Hello, Flask!" 문자열을 반환합니다.

app.run(debug=True)

애플리케이션을 실행합니다. debug=True는 디버그 모드를 활성화하여 코드 변경 시 자동으로 서버를 재시작하고, 오류 발생 시 디버그 정보를 제공합니다.

동적 라우트와 URL 변수

동적 라우트와 URL 변수를 사용하여 보다 복잡한 URL 패턴을 처리할 수 있습니다.

```python
from flask import Flask

app = Flask(__name__)

# 동적 라우트 설정
@app.route('/user/<username>')
def show_user_profile(username):
    return f'User {username}'

@app.route('/post/<int:post_id>')
def show_post(post_id):
    return f'Post {post_id}'

if __name__ == '__main__':
    app.run(debug=True)
```

@app.route('/user/<username>')

'/user/<username>' URL 패턴에 대한 요청을 처리하는 뷰 함수를 정의합니다. <username> 부분은 동적 세그먼트로, URL 경로의 일부를 변수로 받아서 뷰 함수에서 사용할 수 있습니다.

```
@app.route('/post/<int:post_id>')
```
post_id 변수를 URL에서 추출합니다. int: 접두사는 변수를 정수로 변환합니다.

```
def show_user_profile(username), def show_post(post_id)
```
뷰 함수로 URL 변수 값을 사용하여 동적 응답을 생성합니다.

실행 결과

User 홍길동

Post 1234

HTTP 메서드

Flask는 GET, POST, PUT, DELETE 등 다양한 HTTP 메서드를 지원합니다. 다음
예제는 GET과 POST 요청을 처리하는 방법을 보여줍니다.

```python
from flask import Flask, request

app = Flask(__name__)

# GET 요청 처리
@app.route('/get', methods=['GET'])
def handle_get():
    return "This is a GET request"

# POST 요청 처리
@app.route('/post', methods=['POST'])
```

```
def handle_post():
    data = request.form['data']
    return f'Received POST data: {data}'

if __name__ == '__main__':
    app.run(debug=True)
```

@app.route('/get', methods=['GET'])

클라이언트가 /get 경로로 요청을 보낼 때 동작할 뷰 함수를 정의합니다. 이 뷰 함수는 오직 GET 방식의 요청만 처리하며, 다른 메서드(예: POST, PUT, DELETE 등)로 요청이 들어오면 405 Method Not Allowed 에러가 발생합니다.

@app.route('/post', methods=['POST'])

클라이언트가 /post 경로로 요청을 보낼 때 동작할 뷰 함수를 정의합니다. 이 뷰 함수는 오직 POST 방식의 요청만 처리하며, 다른 메서드로 요청이 들어오면 405 Method Not Allowed 에러가 발생합니다.

request.form['data']

request.form은 Flask의 request 객체의 속성 중 하나로, 클라이언트가 제출한 폼 데이터를 접근할 수 있게 해줍니다. request.form은 사전(dict) 형태로 데이터를 제공하며, 폼 요소의 이름을 키로 사용합니다.

request.form['data']는 클라이언트가 제출한 폼 데이터에서 data 필드의 값을 가져옵니다.

실행 결과

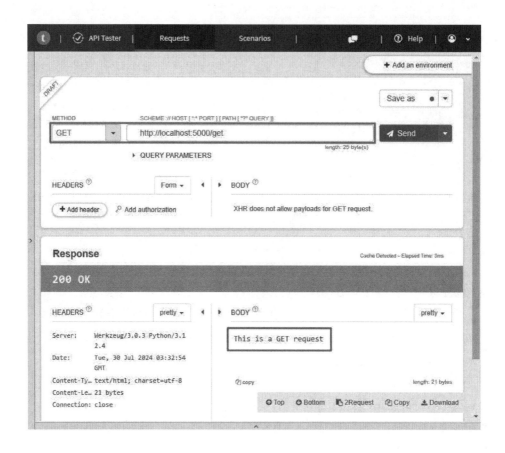

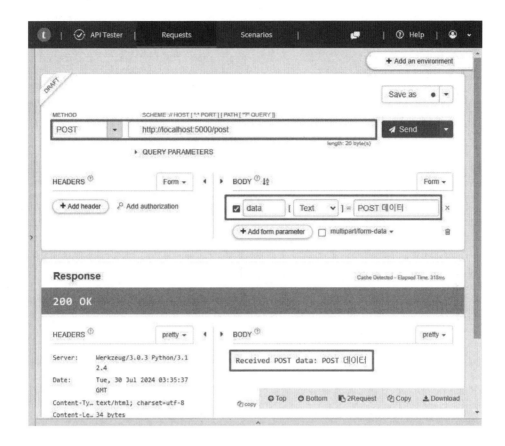

템플릿 렌더링

템플릿 파일은 웹 애플리케이션에서 동적 콘텐츠를 생성하는 데 사용되는 파일입니다.
Flask에서는 Jinja2 템플릿 엔진을 사용하여 HTML 파일을 템플릿으로 처리합니다.
템플릿 파일은 보통 HTML로 작성되며, 동적으로 생성되는 콘텐츠를 포함할 수 있도록
Jinja2의 템플릿 문법을 사용합니다.

먼저, 템플릿 파일을 생성합니다. 기본적으로 Flask는 templates 폴더에서 템플릿 파일을
찾으므로, 해당 폴더에 HTML 파일을 생성합니다.

templates/index.html

```html
<!doctype html>
<html>
<head>
    <title>{{ title }}</title>
</head>
<body>
    <h1>{{ heading }}</h1>
    <p>{{ message }}</p>
</body>
</html>
```

{{ title }}, {{ heading }}, {{ message }}

Jinja2 템플릿 문법을 사용하여 템플릿 파일에서 변수 값을 삽입하는 방식입니다. Flask 애플리케이션에서 render_template 함수로 템플릿을 렌더링할 때, 이 변수들은 애플리케이션 코드에서 전달된 값을 받아 HTML 페이지에 동적으로 삽입됩니다.

Flask 애플리케이션에서 템플릿을 렌더링하는 방법입니다.

app.py

```python
from flask import Flask, render_template

app = Flask(__name__)

@app.route('/')
def home():
    return render_template('index.html', title='Home Page',
heading='Welcome to Flask', message='This is a Flask application.')

if __name__ == '__main__':
    app.run(debug=True)
```

```
render_template('index.html', title='Home Page', heading='Welcome to
Flask', message='This is a Flask application.')
```
render_template 함수는 Flask에서 HTML 템플릿을 렌더링하고 동적 콘텐츠를 생성하는 데 사용됩니다. 'index.html'은 렌더링할 템플릿 파일의 이름으로, 이 파일은 애플리케이션의 templates 디렉토리에 위치해야 합니다. 템플릿 파일과 함께 전달된 키워드 인수들(title, heading, message)은 템플릿 내에서 사용할 수 있는 변수가 됩니다.

실행 결과

Welcome to Flask

This is a Flask application.

폼 처리

폼 처리는 사용자 입력을 받아 서버에서 이를 처리하고, 결과를 사용자에게 다시 보여주는 과정입니다. Flask에서는 request 객체를 사용하여 폼 데이터를 쉽게 처리할 수 있습니다. 다음 예제에서 간단한 폼을 생성하고, 폼 데이터를 처리하는 방법에 대해 알아보겠습니다.

폼 템플릿 생성 ⇒ templates/form.html

```
<!doctype html>
<html>
<head>
    <title>Form Example</title>
</head>
<body>
```

```
    <h1>Submit Your Name</h1>
    <form action="/submit" method="post">
        <label for="name">Name:</label>
        <input type="text" id="name" name="name">
        <input type="submit" value="Submit">
    </form>
</body>
</html>
```

폼 데이터를 처리하고, 결과를 보여주는 방법입니다.

app.py

```
from flask import Flask, request, render_template

app = Flask(__name__)

@app.route('/')
def form():
    return render_template('form.html')

@app.route('/submit', methods=['POST'])
def submit():
    name = request.form['name']
    return f'Hello, {name}!'

if __name__ == '__main__':
    app.run(debug=True)
```

@app.router('/')

   ...

render_template('form.html')

루트 URL('/')에 대한 요청을 처리하는 뷰 함수를 정의합니다. form.html 템플릿을
렌더링합니다.

```
@app.route('/submit', methods=['POST'])
def submit()
```
/submit 주소에 대한 POST 요청을 처리하는 뷰 함수를 정의합니다.

```
name = request.form['name']
return f'Hello, {name}!'
```
name 이름의 폼 데이터를 추출해 동적 응답을 생성, 반환합니다.

실행 결과

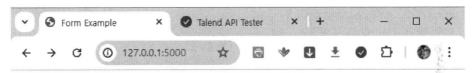

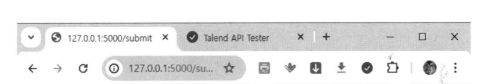

정적 파일 제공

정적 파일은 주로 CSS, JavaScript, 이미지 파일 등을 포함하며, Flask는 이러한 파일을 쉽게 제공할 수 있는 방법을 제공합니다. Flask는 기본적으로 static 디렉토리를 정적 파일을 위한 디렉토리로 사용합니다. 이 디렉토리에 저장된 파일들은 /static/ URL 경로를 통해 제공됩니다. 예를 들어 static 디렉토리에 있는 style.css 파일은 /static/style.css URL로 접근할 수 있습니다. .

static/css/style.css

```css
body {
    font-family: Arial, sans-serif;
}
h1 {
    color: #333;
}
```

static/js/script.js

```js
document.addEventListener('DOMContentLoaded', (event) => {
console.log('Document is ready'); });
```

static/images/logo.png

템플릿에서 정적 파일을 사용하는 방법입니다.

templates/index.html

```html
<!DOCTYPE html>
<html lang="en">
<head>
    <meta charset="UTF-8">
    <title>Home Page</title>
    <link rel="stylesheet" href="{{ url_for('static',
filename='css/style.css') }}">
</head>
```

```
<body>
    <h1>Welcome to My Flask App</h1>
    <img src="{{ url_for('static', filename='images/logo.png') }}"
alt="Logo">
    <script src="{{ url_for('static', filename='js/script.js')
}}"></script>
</body>
</html>
```

{{ url_for('static', filename='css/style.css') }}

static/css/style.css 파일의 URL을 생성합니다. url_for('static', filename='...')는 Flask가 정적 파일의 URL을 동적으로 생성하는 데 사용됩니다.

Flask 애플리케이션을 작성합니다.

app.py

```
from flask import Flask, render_template

app = Flask(__name__)

@app.route('/')
def home():
    return render_template('index.html')

if __name__ == '__main__':
    app.run(debug=True)
```

실행 결과

Flask는 파이썬으로 작성된 간단하면서도 강력한 웹 프레임워크입니다. Flask를 사용하면 간단한 웹 애플리케이션을 빠르게 만들 수 있으며, 확장을 통해 더 복잡한 기능도 구현할 수 있습니다. 여기서는 Flask의 기본적인 사용법을 소개하고, 라우트 설정, 템플릿 렌더링, 폼 처리, 정적 파일 제공 등의 기본 기능을 알아 보았습니다.

Django를 이용한 웹 애플리케이션 개발

Django는 파이썬으로 작성된 고수준의 웹 프레임워크로, 웹 애플리케이션 개발을 빠르고 효율적으로 할 수 있도록 돕습니다. Django의 주요 목표는 간결하고, 신뢰성 있으며, 확장 가능한 코드를 작성할 수 있게 하는 것입니다. Django는 웹 애플리케이션 개발에 필요한 다양한 기능을 내장하고 있어, 개발자가 애플리케이션의 비즈니스 로직에 집중할 수 있도록 합니다.

기본 개념 및 구성 요소

프로젝트와 애플리케이션

Django 프로젝트는 웹 애플리케이션의 전체적인 구성과 설정을 포함하는 단위입니다. 프로젝트는 여러 애플리케이션을 포함할 수 있으며, 애플리케이션들 간의 설정과 공통 요소들을 관리합니다. 프로젝트의 주요 요소는 다음과 같습니다.

설정 파일 (settings.py): 프로젝트의 전반적인 설정을 정의합니다. 여기에는 데이터베이스 설정, 미들웨어, 설치된 애플리케이션, 템플릿 설정, 정적 파일 설정 등이 포함됩니다.

URL 설정 (urls.py): 프로젝트의 URL 라우팅을 관리합니다. 프로젝트 레벨에서 URL 패턴을 정의하고, 각 애플리케이션의 URL 설정을 포함할 수 있습니다.

WSGI 파일 (wsgi.py): 프로젝트를 배포할 때 사용하는 WSGI 인터페이스를 제공합니다.

ASGI 파일 (asgi.py): 비동기 서버를 사용할 때 사용하는 ASGI 인터페이스를 제공합니다.

Django 애플리케이션은 특정한 기능이나 모듈을 담당하는 독립적인 구성 요소입니다. 한 프로젝트 내에 여러 개의 애플리케이션이 존재할 수 있으며, 각 애플리케이션은 다음과 같은 구성 요소를 가집니다.

모델 (models.py): 데이터베이스 스키마를 정의합니다. 데이터베이스 테이블과 그 관계를 관리하며, ORM(Object-Relational Mapping)을 통해 데이터베이스와 상호작용합니다.

뷰 (views.py): 클라이언트의 요청을 처리하고, 필요한 데이터를 수집하여 템플릿을 통해 응답을 생성합니다. 주로 HTTP 요청을 처리하고, HTTP 응답을 반환하는 함수나 클래스로 구성됩니다.

템플릿 (templates 디렉토리): HTML 파일을 통해 사용자에게 데이터를 표시합니다. 템플릿 시스템을 사용하여 동적인 웹 페이지를 생성합니다.

URL 설정 (urls.py): 애플리케이션 내부의 URL 라우팅을 관리합니다. 클라이언트의 요청 URL을 특정 뷰로 매핑합니다.

폼 (forms.py): 폼을 정의하고 처리하는 데 사용됩니다. 사용자 입력을 검증하고, HTML 폼을 생성하는 데 도움을 줍니다.

어드민 (admin.py): Django 관리자 인터페이스에서 모델을 관리할 수 있도록
설정합니다.

Django의 프로젝트와 애플리케이션 개념은 웹 애플리케이션의 구조를 체계적으로
관리하고, 모듈화된 개발을 가능하게 합니다. 이를 통해 개발자는 더 효율적이고 확장
가능한 웹 애플리케이션을 구축할 수 있습니다.

Django를 이용한 웹 애플리케이션을 개발 과정을 알아 보겠습니다.

Django 설치

먼저, Django를 설치합니다. 다음 명령어를 사용하여 Django를 설치할 수 있습니다.

```
pip install django
```

Django 프로젝트 생성

Django 프로젝트를 생성하고 기본 설정을 합니다.

프로젝트를 생성합니다. myproject라는 이름으로 프로젝트를 생성하려면 다음 명령어를
사용합니다.

```
django-admin startproject myproject
```

이 명령어를 실행하면 myproject 디렉토리가 생성되고, 그 안에 다음과 같은 파일들이
포함됩니다.

```
myproject/
```

```
manage.py
myproject/
    __init__.py
    settings.py
    urls.py
    asgi.py
    wsgi.py
```

- **myproject/**: 프로젝트의 설정 파일들이 포함된 디렉토리입니다.
- **manage.py**: Django 프로젝트와 상호작용하기 위한 커맨드라인 유틸리티 프로그램입니다.
- **__init__.py**: 해당 디렉토리가 파이썬 패키지임을 나타냅니다.
- **settings.py**: 프로젝트의 설정을 정의합니다.
- **urls.py**: URL 설정을 관리합니다.
- **wsgi.py**: WSGI(Web Server Gateway Interface) 설정 파일입니다.
- **asgi.py**: ASGI(Asynchronous Server Gateway Interface) 설정 파일입니다.

Django 애플리케이션 생성

이제 myapp이라는 이름의 애플리케이션을 생성합니다. 프로젝트 디렉토리로 이동한 후 다음 명령어를 실행합니다.

```
cd myproject
python manage.py startapp myapp
```

이 명령어를 실행하면 myapp이라는 디렉토리가 생성되고, 그 안에 다음과 같은 파일들이 포함됩니다.

```
myapp/
    __init__.py
    admin.py
```

```
apps.py
models.py
tests.py
views.py
migrations/
```

- __init__.py: 해당 디렉토리가 파이썬 패키지임을 나타냅니다.
- admin.py: Django 관리자 사이트와 관련된 설정을 합니다.
- apps.py: 애플리케이션의 설정을 정의합니다.
- models.py: 데이터베이스 모델을 정의합니다.
- tests.py: 테스트 케이스를 작성합니다.
- views.py: 뷰를 정의합니다.
- migrations/: 데이터베이스 마이그레이션 파일들이 저장됩니다.

애플리케이션을 프로젝트에 추가

생성된 myapp 애플리케이션을 myproject 프로젝트에 추가하려면 myproject/settings.py 파일을 열어 INSTALLED_APPS 리스트에 myapp을 추가합니다.

```
# myproject/settings.py

INSTALLED_APPS = [
    ...
    'myapp',
]
```

모델 정의

myapp/models.py 파일을 열고, 블로그 게시물 모델을 정의합니다. 이 모델은 게시물의 제목, 내용, 생성 시간 및 수정 시간을 포함합니다.

```
# myapp/models.py

from django.db import models

class Post(models.Model):
    title = models.CharField(max_length=100)
    content = models.TextField()
    created_at = models.DateTimeField(auto_now_add=True)
    updated_at = models.DateTimeField(auto_now=True)

    def __str__(self):
        return self.title
```

데이터베이스 마이그레이션

Post 모델을 데이터베이스에 반영하려면 마이그레이션을 생성하고 적용합니다.

```
python manage.py makemigrations
python manage.py migrate
```

- makemigrations 명령은 모델 변경 사항을 감지하고 마이그레이션 파일을 생성합니다.
- migrate 명령은 마이그레이션 파일을 실행하여 데이터베이스에 변경 사항을 반영합니다.

관리자 인터페이스 설정

myapp/admin.py 파일을 열고, Post 모델을 관리자 인터페이스에 등록합니다. Django 관리자(admin) 인터페이스는 데이터베이스 모델을 쉽게 관리할 수 있도록 도와주는 강력한 도구로, 모델 등록 과정을 통해 관리자 페이지에서 Post 모델을 관리할 수 있습니다.

```
# myapp/admin.py

from django.contrib import admin
from .models import Post

admin.site.register(Post)
```

관리자 계정 생성

Django 관리자 인터페이스를 사용하려면 먼저 관리자 계정을 생성해야 합니다. 개발 서버가 실행 중이지 않은 상태에서 명령어를 실행해야 합니다.

```
python manage.py createsuperuser
```

명령어를 입력하면 다음과 같은 프롬프트가 나타납니다.

```
Username (leave blank to use 'myanjini'): admin
Email address: myanjini@gmail.com
Password: **********
Password (again): **********
Superuser created successfully.
```

여기서 admin은 관리자 계정의 사용자 이름입니다. 이메일 주소와 비밀번호를 입력한 후, 해당 계정이 성공적으로 생성되었다는 메시지가 나타납니다.

관리자 인터페이스 사용

관리자 계정을 생성한 후, 개발 서버를 실행하여 관리자 인터페이스에 접속할 수 있습니다.

```
python manage.py runserver
```

브라우저에서 http://127.0.0.1:8000/admin/에 접속합니다. 관리자 로그인 페이지가 나타나면, 앞서 생성한 관리자 계정의 사용자 이름과 비밀번호를 입력합니다.

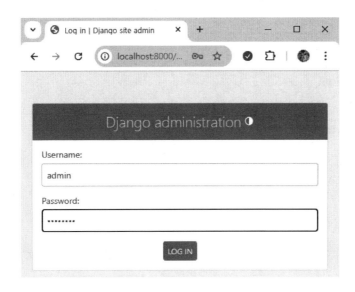

로그인에 성공하면 Django 관리자 인터페이스로 이동합니다. 기본적으로 관리자 인터페이스에는 Django의 인증(auth) 및 권한 시스템과 관련된 그룹(Group) 및 사용자(User) 모델이 포함되어 있습니다.

앞서 myapp/admin.py 파일에 Post 모델을 등록했으므로, 관리자 인터페이스에서 Post 모델을 관리할 수 있습니다.

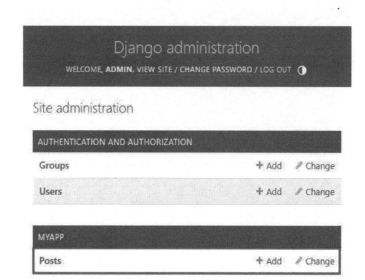

관리자 인터페이스에서 Post 모델을 클릭하면, 데이터베이스에 저장된 모든 게시물 목록을 볼 수 있습니다. 여기서 새로운 게시물을 추가하거나 기존 게시물을 수정 및 삭제할 수 있습니다.

Add Post 버튼을 클릭하면 새로운 게시물을 추가할 수 있는 폼이 나타납니다. 게시물의 제목(title), 내용(content)을 입력할 수 있습니다. 게시물을 추가한 후에는 목록 페이지로 돌아가 새로 추가된 게시물을 확인할 수 있습니다.

URL 설정

myapp의 URL을 설정합니다. myapp 디렉토리에 urls.py 파일을 생성하고 다음과 같이 작성합니다.

```
# myapp/urls.py

from django.urls import path
from . import views

urlpatterns = [
```

```
    path('', views.index, name='index'),
]
```

그리고 myproject/urls.py 파일을 열어 myapp의 URL을 포함시킵니다.

```
# myproject/urls.py

from django.contrib import admin
from django.urls import include, path

urlpatterns = [
    path('admin/', admin.site.urls),
    path('myapp/', include('myapp.urls')),
]
```

뷰 작성

myapp/views.py 파일을 열고, 뷰를 작성합니다. 예를 들어, 모든 게시물을 보여주는 인덱스 페이지를 작성할 수 있습니다.

```
# myapp/views.py

from django.shortcuts import render
from .models import Post

def index(request):
    posts = Post.objects.all()
    return render(request, 'myapp/index.html', {'posts': posts})
```

템플릿 작성

myapp 디렉토리에 templates/myapp/index.html 파일을 생성하고, 템플릿을 작성합니다. 이 템플릿은 게시물 목록을 표시합니다.

myapp/templates/myapp/index.html

```
<!DOCTYPE html>
<html>
<head>
    <title>My Blog</title>
</head>
<body>
    <h1>My Blog</h1>
    <ul>
        {% for post in posts %}
        <li>{{ post.title }} - {{ post.created_at }}</li>
        {% endfor %}
    </ul>
</body>
</html>
```

- `{% for post in posts %}...{% endfor %}`는 템플릿 태그를 사용하여 게시물 목록을 반복합니다.
- `{{ post.title }}`, `{{ post.created_at }}`는 템플릿 변수로, 게시물의 제목과 생성 날짜를 표시합니다.

정적 파일 설정

정적 파일(static files)은 JavaScript, CSS, 이미지 파일 등과 같이 변경되지 않는 자원들을 의미하며, Django에서 정적 파일을 제공하기 위해서는 먼저, settings.py 파일에서 정적 파일 설정을 구성합니다. 기본적으로 다음과 같은 설정이 포함되어 있습니다:

```
# myproject/settings.py

# 프로젝트 내 정적 파일 경로
STATIC_URL = '/static/'

# 정적 파일이 위치할 디렉토리 목록
STATICFILES_DIRS = [
    BASE_DIR / "static",
]

# 정적 파일이 수집되는 디렉토리
STATIC_ROOT = BASE_DIR / "staticfiles"
```

- STATIC_URL: 정적 파일을 제공할 URL 경로입니다. 예를 들어, /static/으로 설정하면 정적 파일은 http://yourdomain.com/static/ 경로를 통해 접근할 수 있습니다.
- STATICFILES_DIRS: 프로젝트 내에서 정적 파일을 찾을 경로 목록입니다. 여기서 지정한 디렉토리들에 있는 정적 파일을 개발 서버에서 직접 제공합니다.
- STATIC_ROOT: collectstatic 명령어를 실행하면 모든 정적 파일이 이 디렉토리에 수집됩니다. 배포 환경에서 사용됩니다.

프로젝트의 루트 디렉토리(myproject)에 static 디렉토리를 생성합니다. 이 디렉토리에는 CSS, JavaScript, 이미지 파일 등을 저장합니다. 디렉토리 구조와 각 파일의 내용은 다음과 같습니다.

```
myproject/
    myproject/
        settings.py
        urls.py
        ...
    myapp/
        ...
```

```
static/
    css/
        styles.css
    js/
        scripts.js
    images/
        logo.png
manage.py
```

myproject/static/css/styles.css

```css
h1 { color: blue; border-bottom: 1px solid gray;}
img { width: 100px; }
```

H1 태그 하단에 회색 실선과 함께 글자색을 파란색으로 설정하고, 이미지 크기를 100px로 고정합니다.

myproject/static/js/scripts.js

```javascript
document.addEventListener('DOMContentLoaded', (event) => {
    const listItems = document.querySelectorAll('li');

    listItems.forEach((item) => {
        item.addEventListener('mouseover', () => {
            item.style.cursor = 'pointer';
        });

        item.addEventListener('mouseout', () => {
            item.style.cursor = 'default';
        });
    });
});
```

HTML 문서 내 LI 태그에 마우스가 올라가면 손가락 모양으로 마우스 커서를 변경하는 스크립트 코드를 추가합니다.

myproject/static/images/logo.png

템플릿에서 정적 파일을 사용하려면 load static 템플릿 태그를 사용합니다. 예를 들어, base.html 템플릿에서 CSS 파일과 JavaScript 파일을 로드하는 방법은 다음과 같습니다.

```
<!DOCTYPE html>
<html>
<head>
    <title>My Blog</title>
    {% load static %}
    <link rel="stylesheet" type="text/css" href="{% static
'css/styles.css' %}">
    <script src="{% static 'js/scripts.js' %}"></script>
</head>
<body>
    <img src="{% static 'images/logo.png' %}" alt="Logo">
    <h1>My Blog</h1>
    <ul>
        {% for post in posts %}
        <li>{{ post.title }} - {{ post.created_at }}</li>
        {% endfor %}
    </ul>
</body>
</html>
```

개발 서버를 재기동하면 정적 파일이 적용된 결과를 확인할 수 있습니다.

My Blog

- 테스트 제목 - July 30, 2024, 11:17 p.m.

정적 파일 제공

개발 환경에서는 Django의 개발 서버가 자동으로 정적 파일을 제공합니다. python manage.py runserver 명령어를 실행한 상태에서, 정적 파일들은 STATICFILES_DIRS에 지정된 디렉토리에서 직접 제공됩니다.

개발 서버가 시작되면 브라우저에서 http://localhost:8000/static/ 경로를 통해 정적 파일에 접근할 수 있습니다.

배포 환경에서 정적 파일은 nginx, apache 등과 같은 웹 서버를 통해 제공해야 합니다. 이를 위해 collectstatic 명령어를 사용하여 모든 정적 파일을 한 곳으로 모아야 합니다.

```
python manage.py collectstatic
```

이 명령어를 실행하면 모든 정적 파일이 settings.py 파일의 STATIC_ROOT에 지정된 디렉토리에 수집됩니다. 예를 들어, "staticfiles" 디렉토리에 모든 정적 파일이 모입니다.

웹 서버 설정 파일에서 정적 파일 디렉토리를 지정하여 제공할 수 있습니다. 예를 들어, nginx 설정 파일에서 다음과 같이 설정할 수 있습니다.

```
server {
    listen 80;
    server_name yourdomain.com;

    location /static/ {
        alias /path/to/yourproject/staticfiles/;
    }

    location / {
        proxy_pass http://127.0.0.1:8000;
        proxy_set_header Host $host;
        proxy_set_header X-Real-IP $remote_addr;
        proxy_set_header X-Forwarded-For $proxy_add_x_forwarded_for;
        proxy_set_header X-Forwarded-Proto $scheme;
    }
}
```

이 설정은 /static/ 경로로 요청이 들어오면 /path/to/yourproject/staticfiles 디렉토리에서 정적 파일을 제공합니다.

Django는 파이썬으로 작성된 강력한 웹 프레임워크로, 빠르고 효율적인 웹 애플리케이션 개발을 지원합니다. 이 튜토리얼에서는 Django 프로젝트 생성, 모델 정의, 관리자 인터페이스 사용, 뷰와 템플릿 생성, 정적 파일 제공 등의 기본 개념을 소개했습니다. 이러한 기본 개념을 이해하면 Django를 사용하여 다양한 웹 애플리케이션을 개발할 수 있습니다.

부록 A: PEP8 파이썬 스타일 가이드

PEP 8은 파이썬 코드 스타일 가이드로, 파이썬 코드를 일관되게 작성하기 위한 규칙과 권장 사항을 제공합니다. 이 가이드는 코드 가독성을 높이고, 여러 개발자가 협업할 때 코드를 이해하기 쉽게 만드는 데 목적이 있습니다. 여기서는 PEP 8의 주요 규칙과 권장 사항을 설명하겠습니다.

코드 레이아웃

1. 들여쓰기

들여쓰기는 스페이스 4칸을 사용합니다. 탭을 사용하지 않습니다.

```python
def my_function():
    if True:
        print("Hello, world!")
```

스페이스 4칸을 사용하여 코드 블록을 들여씁니다.

2. 줄 길이

한 줄의 길이는 최대 79자로 제한합니다. 긴 줄은 백슬래시(₩)나 괄호로 줄바꿈합니다.

```python
# 백슬래시를 사용한 줄바꿈
with open('/path/to/some/file/you/want/to/read') as file_1, \
     open('/path/to/some/file/being/written', 'w') as file_2:
    file_2.write(file_1.read())
```

```python
# 괄호를 사용한 줄바꿈
def long_function_name(
        var_one, var_two, var_three,
        var_four):
    print(var_one)
```

3. 빈 줄

함수와 클래스 정의 사이에는 빈 줄을 두 줄 씁니다. 클래스 내 메서드 정의 사이에는 빈 줄을 한 줄 씁니다.

```python
class MyClass:
    def method_one(self):
        pass

    def method_two(self):
        pass


def function_one():
    pass


def function_two():
    pass
```

임포트

모듈 임포트는 항상 파일 상단에 위치시키며, 각각의 임포트는 별도의 줄에 작성합니다. 모듈 임포트 순서는 표준 라이브러리 모듈, 서드파티 모듈, 로컬 모듈 순으로 작성합니다.

```
# 표준 라이브러리 모듈
import os
import sys

# 서드파티 모듈
import numpy as np
import pandas as pd

# 로컬 모듈
import mymodule
```

변수와 함수 이름

변수와 함수 이름은 소문자로 작성하며, 단어 사이에는 밑줄(_)을 사용하여 구분합니다. 클래스 이름은 단어의 첫 글자를 대문자로 작성하는 캐멀 케이스(CamelCase)를 사용합니다.

```
# 변수와 함수 이름
my_variable = 10

def my_function():
    pass

# 클래스 이름
```

```python
class MyClass:
    pass
```

상수

상수 이름은 모두 대문자로 작성하며, 단어 사이에는 밑줄(_)을 사용하여 구분합니다.

```python
MAX_VALUE = 100
PI = 3.14159
```

공백

연산자와 쉼표 주변에는 공백을 한 칸씩 둡니다. 함수 인수 리스트, 인덱스, 슬라이스의 내부에는 공백을 사용하지 않습니다.

```python
# 연산자와 쉼표 주변의 공백
a = 1
b = 2
c = a + b

# 함수 인수 리스트, 인덱스, 슬라이스의 내부 공백 없음
def my_function(param1, param2):
    return param1, param2

my_list = [1, 2, 3]
my_list[0:2]
```

문서화 문자열

모든 공개 모듈, 함수, 클래스, 메서드에는 문서화 문자열(docstring)을 작성하여 사용법을 설명합니다. 삼중 따옴표(""")를 사용하여 작성합니다.

```python
def my_function(param1, param2):
    """
    이 함수는 param1과 param2를 받아서 반환합니다.

    Args:
        param1 (int): 첫 번째 매개변수.
        param2 (int): 두 번째 매개변수.

    Returns:
        tuple: param1과 param2의 튜플.
    """
    return param1, param2
```

예외 처리

예외를 처리할 때는 try-except 블록을 사용합니다. 예외의 구체적인 타입을 명시적으로 지정합니다.

```python
try:
    result = 10 / 0
except ZeroDivisionError:
    print("0으로 나눌 수 없습니다.")
```

PEP 8은 파이썬 코드의 일관성과 가독성을 높이기 위한 스타일 가이드입니다. 이 가이드는 들여쓰기, 줄 길이, 빈 줄, 임포트, 변수와 함수 이름, 상수, 공백, 문서화 문자열, 예외 처리 등 다양한 측면에서 코딩 스타일을 규정합니다. PEP 8을 준수하면 여러 개발자가 협업할 때 코드의 가독성과 유지보수성이 향상됩니다.

부록 B: 유용한 파이썬 라이브러리

파이썬은 다양한 용도로 사용되는 광범위한 라이브러리를 제공합니다. 여기서는 데이터 과학, 웹 개발, 자동화, 웹 스크래핑, 머신러닝, 시각화, 그리고 기타 유용한 용도로 사용되는 주요 파이썬 라이브러리를 소개하겠습니다.

데이터 과학

NumPy

https://numpy.org
과학 계산을 위한 라이브러리로, 다차원 배열 객체와 배열을 효율적으로 조작할 수 있는 다양한 함수를 제공합니다.
강력한 수학 함수, 배열 연산, 선형 대수, 난수 생성 등의 기능을 제공하며, 고성능의 연산을 위해 C와 포트란으로 구현되어 있습니다.
2006년에 Travis Oliphant에 의해 시작되었으며, 현재는 과학 계산의 표준 라이브러리로 자리 잡았습니다.

Pandas

https://pandas.pydata.org
데이터 조작 및 분석을 위한 라이브러리로, 데이터프레임(DataFrame) 객체를 제공하여 데이터를 효율적으로 처리할 수 있습니다.
엑셀이나 SQL 테이블과 유사한 형태로 데이터를 다룰 수 있으며, 데이터 정제, 변환, 분석 작업에 매우 유용합니다.
2008년에 Wes McKinney에 의해 개발되었으며, 데이터 분석과 관련된 다양한 작업에서 널리 사용되고 있습니다.

SciPy

https://scipy.org

과학 계산을 위한 라이브러리로, 선형 대수, 적분, 최적화 등의 기능을 제공합니다. NumPy를 기반으로 하여 고수준의 과학 계산 함수를 추가로 제공합니다. 과학 기술 계산에 필요한 다양한 도구들을 포함하고 있습니다.

2001년에 시작되어, 현재는 과학과 엔지니어링 분야에서 표준 도구로 널리 사용되고 있습니다.

웹 개발

Django

https://www.djangoproject.com

고수준의 파이썬 웹 프레임워크로, 빠르고 효율적인 웹 애플리케이션 개발을 지원합니다. 강력한 관리자 인터페이스, ORM, 템플릿 시스템, 보안 기능 등을 제공합니다. "빠르게 움직이고 멋있게 작업하라"는 철학을 가지고 있습니다.

2005년에 개발되었으며, 현재는 많은 대규모 웹 애플리케이션에서 사용되고 있습니다.

Flask

https://flask.palletsprojects.com

경량의 파이썬 웹 프레임워크로, 간단한 웹 애플리케이션을 빠르게 만들 수 있습니다. 최소한의 핵심 기능만 제공하며, 확장성을 통해 필요한 기능을 추가할 수 있습니다. 매우 유연하고 사용하기 쉬운 구조를 가지고 있습니다.

2010년에 Armin Ronacher에 의해 개발되었으며, 소규모 프로젝트와 마이크로서비스에 널리 사용되고 있습니다.

웹 스크래핑

BeautifulSoup

https://www.crummy.com/software/BeautifulSoup/
HTML 및 XML 문서를 파싱하여 데이터를 추출하는 데 유용한 라이브러리입니다.
복잡한 HTML 문서에서도 데이터를 쉽게 추출할 수 있도록 돕습니다. HTML 트리
구조를 탐색하고 수정하는 강력한 도구를 제공합니다.
2004년에 Leonard Richardson에 의해 개발되었으며, 웹 스크래핑 작업에서 매우 널리
사용되고 있습니다.

Scrapy

https://scrapy.org
고성능 웹 스크래핑 및 웹 크롤링 프레임워크입니다.
대규모 웹 크롤링 작업을 효율적으로 처리할 수 있도록 설계되었습니다. 다양한 확장
기능과 플러그인을 제공하여 유연한 크롤링 작업을 지원합니다.
2008년에 개발되었으며, 웹 데이터 수집과 크롤링 작업에서 표준 도구로 자리
잡았습니다.

머신러닝

scikit-learn

https://scikit-learn.org

머신러닝을 위한 라이브러리로, 다양한 머신러닝 알고리즘과 도구를 제공합니다.
간편한 API를 제공하며, 데이터 전처리, 모델 훈련, 평가, 예측 등의 작업을 쉽게 수행할 수 있습니다. NumPy, SciPy, Matplotlib와 긴밀히 통합되어 있습니다.
2007년에 David Cournapeau에 의해 시작되었으며, 현재는 머신러닝 교육과 연구에서 널리 사용되고 있습니다.

TensorFlow

https://www.tensorflow.org
구글이 개발한 오픈 소스 딥러닝 라이브러리로, 대규모 기계 학습 작업을 위한 기능을 제공합니다.
분산 학습, 모델 서빙, 다양한 플랫폼에서의 실행을 지원합니다. 높은 유연성과 성능을 자랑합니다.
2015년에 구글 브레인 팀에 의해 공개되었으며, 현재는 다양한 산업 분야에서 딥러닝 작업에 널리 사용되고 있습니다.

PyTorch

https://pytorch.org
페이스북이 개발한 오픈 소스 딥러닝 라이브러리로, 유연하고 효율적인 딥러닝 모델을 개발할 수 있습니다.
동적 계산 그래프를 지원하여 실시간으로 모델을 변경하고 디버깅할 수 있습니다. 직관적이고 사용하기 쉬운 API를 제공합니다.
2016년에 페이스북 AI 리서치 그룹에 의해 개발되었으며, 현재는 연구와 실무에서 널리 사용되고 있습니다.

데이터 시각화

Matplotlib

https://matplotlib.org

다양한 유형의 플롯을 생성할 수 있는 강력한 시각화 라이브러리입니다.

2D 플롯 생성에 탁월하며, 다양한 스타일과 커스터마이징 옵션을 제공합니다. 과학적 그래프와 데이터 시각화 작업에 널리 사용됩니다.

2003년에 John D. Hunter에 의해 개발되었으며, 현재는 과학 계산 및 데이터 시각화의 표준 도구로 사용되고 있습니다.

Seaborn

https://seaborn.pydata.org

Matplotlib 기반의 시각화 라이브러리로, 복잡한 시각화를 더 쉽게 만들 수 있습니다.

통계적 그래프에 중점을 두며, 데이터프레임과 긴밀하게 통합됩니다. Matplotlib보다 더 세련된 시각화를 제공합니다.

2014년에 Michael Waskom에 의해 개발되었으며, 데이터 시각화 작업에서 널리 사용되고 있습니다.

기타 유용한 라이브러리

Requests

https://docs.python-requests.org

HTTP 요청을 보내고 응답을 처리하는 데 유용한 라이브러리입니다.

간단하고 직관적인 API를 제공하며, GET, POST, PUT, DELETE 등의 HTTP 메서드를 쉽게 사용할 수 있습니다. 웹 스크래핑과 API 통신에 널리 사용됩니다.

2011년에 Kenneth Reitz에 의해 개발되었으며, 현재는 웹 통신 작업에서 매우 널리 사용되고 있습니다.

OpenCV

https://opencv.org

컴퓨터 비전을 위한 라이브러리로, 이미지 및 비디오 처리를 지원합니다.

실시간 이미지 처리에 최적화되어 있으며, 얼굴 인식, 객체 추적, 이미지 변환 등의 기능을 제공합니다. C++로 작성되어 높은 성능을 자랑합니다.

2000년에 인텔에서 시작되어, 현재는 오픈 소스 프로젝트로 전 세계적으로 널리 사용되고 있습니다.

Pillow

https://python-pillow.org

이미지 처리를 위한 라이브러리로, 다양한 이미지 파일 형식을 지원합니다.

이미지를 열고, 조작하고, 저장할 수 있는 다양한 기능을 제공합니다. Python Imaging Library(PIL)의 유지 보수 버전입니다.

2010년에 PIL의 후속 프로젝트로 시작되었으며, 이미지 처리 작업에서 널리 사용되고 있습니다.

Celery

https://docs.celeryproject.org

분산 작업 큐를 구현하기 위한 라이브러리로, 비동기 작업을 처리할 수 있습니다.

작업 스케줄링, 재시도, 결과 저장 등의 기능을 제공하여 대규모 비동기 작업을 효율적으로 처리할 수 있습니다.

2009년에 시작되어, 현재는 비동기 작업 처리의 표준 도구로 사용되고 있습니다.

위에서 소개한 라이브러리들은 파이썬을 사용한 다양한 작업에서 매우 유용하게 사용할 수 있습니다. 이들 라이브러리를 잘 활용하면 데이터 과학, 웹 개발, 웹 스크래핑, 머신러닝, 시각화 등의 작업을 효율적으로 수행할 수 있습니다. 각각의 라이브러리에 대한 기본 사용법을 익히고, 프로젝트에 맞게 응용해 보세요.

부록 C: 추가 학습 자료

다음은 파이썬을 배우고 활용하는 데 매우 유용한 자원을 제공하는 국내외 파이썬 커뮤니티와 웹 사이트 정보입니다. 이들을 통해 다양한 주제의 파이썬 학습 자료를 접하고, 학습과 실무에서 적극적으로 활용할 수 있습니다.

국내

파이썬 사용자 모임(Python Korea)

파이썬 관련 소식, 질문과 답변, 프로젝트 공유, 오프라인 모임
https://www.pythonkorea.org

점프 투 파이썬(Jump to Python)

파이썬 기초 및 심화 학습 자료, 예제 코드, 연습 문제
https://wikidocs.net/book/1

코딩도장

파이썬 기초부터 심화까지 단계별 학습, 문제 해결
https://codingdojang.com

해외

파이썬 공식 문서(Python Documentation)

파이썬 언어의 공식 문서, 튜토리얼, 라이브러리 참조

https://docs.python.org

레딧 파이썬 커뮤니티(Reddit Python)

파이썬 관련 뉴스, 질문과 답변, 프로젝트 공유, 토론

https://www.reddit.com/r/Python

스택 오버플로우(Stack Overflow)

파이썬 프로그래밍 질문과 답변, 코드 문제 해결

https://stackoverflow.com/questions/tagged/python

리얼 파이썬(Real Python)

파이썬 튜토리얼, 기사, 비디오 강좌

https://realpython.com

W3Schools 파이썬 튜토리얼

파이썬 기초부터 심화까지 단계별 학습 자료

https://www.w3schools.com/python

파이썬 튜토리얼(Python Tutorials by Corey Schafer)

파이썬 기초 및 심화 비디오 강좌

https://www.youtube.com/user/schafer5

GeeksforGeeks 파이썬 튜토리얼

파이썬 프로그래밍 기초 및 심화 자료, 인터뷰 질문

https://www.geeksforgeeks.org/python-programming-language/